CMPC : Compañía manufacturera de papeles
         y cartones

Mero : mero pescado chileno

SNPD } = Soc. Nac. de Procesamiento de Datos
(SONDA)   emp. comput. + grande de Chile y Sudamérica.

D1225669

CHILE
REVOLUCION
SILENCIOSA

JOAQUIN LAVIN

ZIG-ZAG

Portada de
Diseñadores Asociados.

I.S.B.N.: 956-12-0329-3.

© 1987 by Joaquín Lavín Infante. Inscripción
Nº 68.363. Santiago de Chile. Derechos
exclusivos de edición reservados por Empresa
Editora Zig-Zag S.A.

Editado por EMPRESA EDITORA ZIG-
ZAG, S.A. Holanda 1585. Casilla 84-D.
Teléfono 2234675*. Télex 340455 ZIGZAG
CK. Fax 2235766. Santiago de Chile.

1ª edición: Diciembre 1987.
2ª edición: Diciembre 1987.
3ª edición: Enero 1988.
4ª edición: Febrero 1988.
5ª edición: Marzo 1988.
1ª edición en inglés: Marzo 1988.

Impreso por Editorial Lord Cochrane S.A.
Antonio Escobar Williams 590. Santiago de
Chile.

AGRADECIMIENTOS

*Mis agradecimientos a los estudiantes de ingeniería co-
mercial Pablo Gómez y Héctor Ottone, de la Universidad
Católica de Chile, y Cristián Novión y Miguel Acuña, de
la Universidad Gabriela Mistral, quienes realizaron un
valioso trabajo de investigación. Mis agradecimientos,
asimismo, al Centro de Documentación de la empresa
"El Mercurio", de cuya información pude disponer. Mis
agradecimientos, finalmente, a casi un centenar de jóvenes empresarios y ejecutivos, quienes, a través de largas y
pacientes conversaciones, contribuyeron a mostrarme un
Chile que emerge y que recién empezamos a descubrir.*

EL AUTOR

Indice

Introducción

Durante la última década Chile ha experimentado cambios profundos, transformaciones que están modificando la forma en que las nuevas generaciones de chilenos viven, piensan, estudian, trabajan y descansan. La manera en que se visten, los alimentos que adquieren, la forma en que distribuyen su tiempo libre, las ciudades en las que prefieren vivir, las carreras que quieren estudiar... Todo está cambiando.

Estas transformaciones son consecuencia de tres factores principales: el dramático cambio experimentado por la economía mundial, que ha pasado en pocos años de la "era industrial" a la "era de la información", debido a un sorprendente desarrollo tecnológico; una política deliberada de integración con el mundo, iniciada en 1975, que no echó sólo por tierra las barreras del comercio, sino que amplió el horizonte de los chilenos al otorgarles acceso a información, tecnología y bienes de consumo que hasta entonces sólo conocían por sus escasos viajes al exterior; y todo lo anterior, en un ambiente que ha favorecido la iniciativa individual, la creatividad, la innovación, la audacia y la capacidad empresarial.

Este experimento con tres ingredientes ha producido una mezcla explosiva: millones de chilenos tomando decisiones libres, con toda la información disponible en un país conectado a un mundo que avanza a velocidades supersónicas, están generando una verdadera revolución.

Los antecedentes sobre esta revolución no aparecen en los diarios ni ocupan espacios en los noticiarios de televisión. Y, paradojalmente, pese a que los chilenos anónimos tienen el rol protagónico, son los que regresan del extranjero después de años de ausencia quienes primero se dan cuenta de que una verdadera "revolución silenciosa" está cambiando a este país.

Entre 1970 y 1986, más de un millón de personas se incorporó a la fuerza de trabajo, la mayoría de las cuales jubilará en las Administradoras de Fondos de Pensiones Provida, Santa María o Hábitat, y no en el Servicio de Seguro Social o en la Caja de Empleados Públicos o Particulares, como lo hicieron sus padres. Esta nueva generación tiene un nivel educacional muy superior al de sus progenitores, y el mayor número de años que dedica al estudio la hace ingresar al mercado laboral a una edad más avanzada. En 1960, sólo el 8 por ciento de la población de Santiago tenía cursado el último año de la Educación General Media. Hoy ese porcentaje sube al 31 por ciento. Mientras en 1970 un total de 302 mil jóvenes chilenos seguía estudios secundarios, en 1985 superaba los 670 mil. Asimismo, en los últimos seis años, el número de alumnos que sigue estudios superiores creció en 74 por ciento, y 4 de cada 10 ya no egresan de la Universidad de Chile, la Universidad Católica o el resto de las Universidades tradicionales, sino que lo hacen de la Gabriela Mistral, la Diego Portales, la Central, el Instituto Profesional del Pacífico o de alguno de los numerosos Centros de Formación Técnica creados desde 1980 en adelante.

Los avances en el nivel de salud de la población hacen

que hoy cada chileno que nace disponga durante su vida de 35 mil horas más de tiempo que quienes nacieron en 1970.

El progreso trae consigo cambios profundos que modifican el modo de vida de la familia. Las mayores alternativas disponibles se traducen en que el tiempo sea cada vez más escaso, y la vida, por tanto, cada vez más rápida. Las mujeres, que disfrutan de un acceso creciente a mejores niveles de educación, pueden aspirar a sueldos más altos, lo que hace más difícil –"más caro", en lenguaje de economista–, su permanencia en el hogar. De hecho, en la última década la tasa de crecimiento de la fuerza de trabajo femenina duplicó holgadamente a la masculina, de tal forma que de cada 10 chilenos que se incorpora hoy al mercado laboral, más de 4 son mujeres. Al igual que en otras partes del mundo, este fenómeno ha dado lugar al desarrollo de una tecnología destinada a ahorrar tiempo de la mujer en la casa, con el consiguiente incremento de los niveles de consumo de lavadoras, aspiradoras, secadoras de platos, hornos microondas, pañales desechables, de industrias como las de "comida rápida", platos preparados, restaurantes, y de grandes centros comerciales y supermercados, donde es posible encontrar, en el mismo sitio, una amplia variedad de artículos sin tener que perder tiempo en viajes ni en búsqueda de estacionamiento.

El hecho de que hoy haya casi 700 mil mujeres más trabajando que las que había en 1970, está teniendo también efectos sobre la familia. Esta se caracteriza actualmente por un menor número de hijos, sobre todo en el caso de los sectores de más altos ingresos, donde abundan hoy los hogares en que tanto el marido como la esposa trabajan. Dicho efecto, al que se suman otros factores que apuntan en el mismo sentido, es tan importante, que el número de jóvenes entre 15 y 24 años de edad que presionan sobre la educación

13

superior y el mercado laboral, se reducirá en 38 mil entre 1990 y el año 2000, luego de haberse incrementado a un ritmo del 3 por ciento anual en la década del setenta. Asimismo, si comparamos el censo de 1970 con el de 1982, se observa que el número de hogares "unipersonal", es decir, el formado por una sola persona, ya sea hombre o mujer, se ha transformado en el tipo de hogar que alcanza uno de los mayores incrementos porcentuales.

Como es tradicional en los países a medida que se desarrollan, la fuerza de trabajo va siguiendo un conocido ciclo económico, que se inicia en la agricultura, para luego pasar a la industria y terminar en el sector servicios. Entre 1970 y 1986, el producto del sector agrícola creció en 54 por ciento, en tanto que el número de personas ocupadas en la agricultura se redujo en 101 mil. Un proceso similar comienza a vivirse en la industria, que ocupa hoy un porcentaje menor de la fuerza de trabajo que hace diez años. La conocida historia del campesino que pasó luego a obrero industrial y después a oficinista de cuello y corbata, resume también la evolución reciente de la economía chilena.

A esta nueva realidad, común a todos los países que se encuentran avanzando en su nivel de desarrollo económico, se suman, en el caso de Chile, diversas tendencias que están cambiando el país. Algunas de ellas han provocado ya una importante transformación, mientras que otras, todavía subterráneas e invisibles para la mayoría, están próximas a emerger con una fuerza arrolladora.

1. Las tendencias de la revolución silenciosa

Integración con el mundo

Chile se ha integrado con el mundo. Mientras le vendemos productos, adquirimos también sus modas, su tecnología e incluso su idioma. Hasta hace pocos años, la película que ganaba el premio "Oscar" demoraba muchos meses, y hasta años, en ser exhibida en los cines de nuestra capital. En cambio, los santiaguinos pudieron ver *Pelotón*, que obtuvo dicho premio en 1987, casi simultáneamente con la audiencia norteamericana, además de presenciar en directo la ceremonia en que recibió aquel galardón. Nuestra interrelación con el mundo ha provocado un *boom* de los cursos e institutos que enseñan inglés, al igual que una reorientación en los programas de liceos y colegios.

Las mayores posibilidades de comercio se han traducido en que el número de automóviles que circula por las calles se incrementó en 445 mil en los últimos quince años, mientras que con un total de 2.000.000 de hogares que disponen de un televisor, Chile ostenta una de las mayores densidades de televisores por familia en Sudamérica.

La generación de los "dibujos animados" y los Atari –niños y jóvenes que pasan varias horas al día frente al televisor o el computador– cuenta con un nivel de información varias veces superior a la que poseían sus padres a la misma edad, situación que tiene efectos aún insospechados. A su vez, los niños frente al televisor constituyen para Chile un nuevo mercado, en franca expansión, que revoluciona el mundo de la publicidad y de los hábitos de consumo. En los últimos cinco años, el consumo de yogurt se multiplicó significativamente, en tanto que la juventud bebe cada vez más bebidas gaseosas y menos vino. Entre 1965 y 1986, cada chileno dejó de consumir 19 litros de vino al año, lo que representa una baja del 45 por ciento.

Made in Chile

La población mundial llega hoy a cinco mil millones, al mismo tiempo que las exportaciones chilenas se empinan también a ese nivel. Esto significa que hoy le vendemos mercaderías por el valor de un dólar a cada habitante del planeta, un record al que están contribuyendo cientos de chilenos que exportan desde palitos de helado hasta arañas, pasando por kiwis, juguetes, armas, libros y programas de *software*.

Contrariamente a lo que los planificadores de escritorio trataron de implantar hace quince años, el mercado pasó por sobre los mapas y arrasó con la geografía, de tal forma que hoy, en lugar de estar produciendo partes y piezas para integrarnos con la economía peruana, boliviana o ecuatoriana, estamos asociándonos con Nueva Zelandia para enfrentar juntos los mercados mundiales de la madera, de los productos del mar y de la fruta. En los últimos doce meses, la "conexión neozelandesa", que comenzó con la adquisición de un porcentaje de acciones de la Compañía de Petróleos de

16

Chile, Copec, por parte de Carter Holt Harvey, de la Sociedad Productores de Leche, Soprole, por el New Zealand Dairy Board, y de Papeles Bío-Bío por Fletcher Challenge, se ha extendido a otras áreas de la actividad económica.

Nuevos polos de desarrollo

La integración con el mundo y el desarrollo de ventajas comparativas regionales están cambiando la geografía económica de Chile. A lo largo del país surgen nuevos polos de desarrollo. Emergen Arica e Iquique, la primera debido al comercio fronterizo –en gran parte contrabando– con Perú y Bolivia, y la segunda gracias a la Zona Franca.

El "*boom* de los parronales" sitúa a la Tercera Región en el segundo lugar entre las zonas con más altos sueldos del país. Pocos saben que el más explosivo crecimiento del tráfico aéreo en Chile, se produjo entre Santiago y Copiapó. Mientras en 1983 volaron a esa ciudad 227 pasajeros, el año 1986 lo hicieron 4.194, con un crecimiento de 18 veces. Esta situación incentivó a la Línea Aérea del Cobre, Ladeco, a establecer, a partir de este año, vuelos regulares a Copiapó dos veces por semana.

En algunas ciudades del sur, el auge es similar. El agente de Toyota en Temuco obtuvo en 1986 el premio correspondiente a un viaje a Japón por vender la mayor cantidad de camionetas de dicha marca en Chile. En Chiloé, a consecuencia de la instalación en los últimos meses de cientos de faenas pesqueras, se ha producido un fenómeno de migración poblacional que obligó a incrementar las dotaciones policiales.

Paralelamente al desarrollo de algunas ciudades, la última década ha sido testigo de una paulatina jibarización de

Valparaíso, ya que diversas industrias cerraron definitivamente o dejaron la región.

El chileno informado

El auge de la televisión, las comunicaciones vía satélite, los computadores, los fax y el discado directo, entre otros avances, han incrementado considerablemente la cantidad de información de que hoy disponemos. Un niño chileno de diez años ha pasado ya alrededor de 7.300 horas de su vida extrayendo información de su televisor, mientras que sus padres, a esa edad, prácticamente no la conocieron, debido a la baja disponibilidad de aparatos que en su generación había en el país.

El fenómeno anterior provocó también cambios en los programas de estudio, de tal forma que durante sus doce años de vida escolar, un niño que hoy ingresa al liceo, tiene, en promedio, varios cientos de horas más de matemáticas, inglés y computación, en comparación con quienes ingresaron al mismo liceo en 1960.

Estamos también en tiempos de *boom* con respecto a seminarios, cursos de extensión y becas al exterior. Desde 1975 a la fecha, un total de 2.100 personas realizó estudios de postgrado en Estados Unidos y Europa.

Contrariamente a los que creen que vivimos en medio de un "apagón cultural", la adquisición de libros, e incluso de cassettes de música clásica, alcanza niveles record. Durante 1987, 200.000 personas adquirieron la *Quinta Sinfonía*, de Beethoven.

La modernización de la prensa escrita, conectada a redes de computador, permite que el diario *El Mercurio* pueda tener acceso, cada día, a lo que publicarán el *Washington*

Post o *Los Angeles Times* al día siguiente, de tal modo que los lectores de dichos periódicos, en Santiago y en Estados Unidos, pueden leer el mismo artículo simultáneamente.

El nivel de información económica, luego de catorce años de libre mercado, es hoy significativo, ocupando espacios que los medios de comunicación masiva nunca antes le habían otorgado, y obligándolos a crear secciones especializadas que siguen no sólo los altos ejecutivos de empresas, sino los miles de depositantes, grandes y pequeños, y ahora los numerosos trabajadores que se han incorporado a la propiedad de acciones. Los trabajadores de Minera del Pacífico, filial de la Compañía de Acero del Pacífico, CAP, revisan hoy diariamente la sección "Economía y Negocios", de *El Mercurio*, para ver si su patrimonio personal aumentó o disminuyó según lo ocurrido con el precio de las acciones CAP en la Bolsa de Comercio de Santiago.

En síntesis, la existencia de chilenos mejor informados, cultos, y con más conocimientos de la realidad económica, constituye parte importante de esta "revolución silenciosa".

La empresa eficiente

La empresa chilena también está cambiando, forzada por la necesidad de competir, no sólo con otras empresas nacionales, sino también con las importaciones, en un mundo en que es necesario ir adoptando año a año nuevas tecnologías para poder sobrevivir.

Entre los cambios más importantes observados en los últimos años, destacan la tendencia a la formación de *holdings* y a la subdivisión de los grandes conglomerados, lo que permite identificar mejor los costos y beneficios. Asimismo, la tendencia creciente a especializarse y a subcontratar otros servicios, que van desde el aseo hasta la mantención de los jardines, pasando por la computación, el casino y muchos otros, han permitido el surgimiento de cientos de empresas de servicios.

Paralelamente, las barreras de propiedad que diferenciaban categóricamente a los accionistas propietarios de los ejecutivos y los trabajadores, comienzan a borrarse. En un número cada vez mayor de empresas, los trabajadores son, a su vez, accionistas, como sucede con la Compañía Chilena de Electricidad, Chilectra; la Compañía de Acero del Pacífico, CAP; la Industria Azucarera Nacional, IANSA; la Sociedad Química y Minera de Chile, Soquimich; la Compañía de Teléfonos de Chile, y la Compañía Carbonífera Schwager, entre otras, en tanto que un número creciente de compañías está otorgando a sus ejecutivos participación en la propiedad como parte de su remuneración.

El fenómeno, bautizado en Chile como "capitalismo popular", está contribuyendo a la aparición de las grandes corporaciones, al estilo norteamericano, en que la propiedad está diluida entre miles de pequeños accionistas, ninguno de los cuales tiene influencia en el manejo de la empresa. Es el caso de los Bancos de Chile y de Santiago, en cuyas elecciones de directorio votaron, este año, más de diez mil personas, tras una verdadera campaña electoral a través de la prensa, que incluyó hasta foros en la televisión.

En los últimos dos años, el desarrollo de la mentalidad empresarial entre los jóvenes ha sido sorprendente, dando lugar a congresos de nuevos empresarios, concursos de proyectos de nuevas Empresas, desarrollo de fondos de capital de riesgo, y diversas otras iniciativas. A consecuencia de esta valoración creciente del rol del empresario, muchos de ellos son hoy invitados frecuentes a programas de televisión, o mantienen columnas en los diarios, mientras algunos se han atrevido, incluso, a comenzar a aparecer en su propia publicidad. Es el caso de Fabrizio Levera, quien, al estilo Iacocca, publicita sus productos personalmente, amparado por la música de *Gigi, el amoroso.*

El éxito empresarial trasciende hoy las fronteras, alcanzando un liderazgo en América Latina. En los últimos tres años, se han desarrollado verdaderas "multinacionales chilenas", la mayoría de ellas formadas por jóvenes empresarios ligados al sector servicios de alta tecnología, que han formado empresas filiales en Argentina, Brasil, Perú, Venezuela y otros países. Supermercados Jumbo planea abrir su segundo local en Buenos Aires, en tanto que la Editorial Lord Cochrane, por ejemplo, es uno de los conglomerados editoriales más grandes de Sudamérica, con filiales en Argentina y Brasil.

El Gobierno se acerca

A través de diferentes mecanismos de descentralización y desburocratización, el Gobierno se ha acercado a las personas, generando importantes cambios a nivel de las municipalidades y servicios públicos.

El ciudadano se ha "desempapelado"; hoy puede pagar sus impuestos en cualquier Banco y obtener pasaporte en seis días menos que antes. Por otra parte, los traspasos a las municipalidades de los establecimientos de educación y salud permiten acercar las decisiones a las personas. Obtener un vidrio para reparar la ventana de una escuela rural requería antes de la autorización del Ministerio de Educación, en tanto que hoy esas decisiones son rápidamente adoptadas por las

Municipalidades en las 6.340 escuelas que manejan a lo largo de Chile.

"Clientización" de la Economía

La orientación hacia el cliente, propia de una economía de mercado competitiva, ha hecho que las Empresas tiendan fuertemente a otorgar un mejor servicio pensando en los diferentes gustos de cada consumidor, en facilidades de financiamiento y en ahorro de tiempo.

Hasta hace pocos años no era posible para un chileno cobrar un cheque en cualquier sucursal de su Banco, ni menos podía obtener fondos o efectuar depósitos los fines de semana. Ahora se efectúan 800.000 transacciones al mes en los 160 cajeros automáticos instalados en diferentes lugares del país.

Los supermercados han alcanzado un notable desarrollo, desplazando al "almacén de la esquina" en todos los niveles de la sociedad. Las comodidades son cada vez mayores: 5.000 familias santiaguinas, especialmente aquellas en que el marido y la esposa trabajan, hacen por teléfono sus compras semanales, las que son despachadas a cada hogar por la flota de camiones de Telemercados Europa. Los servicios al cliente se sofistican cada vez más: en la boleta de los supermercados Almac, la dueña de casa puede leer con todo detalle cuánto compró de cada producto, con sus respectivos precios. Los grandes *mall*, como el Parque Arauco o el Apumanque, reciben a más de un millón de personas todos los meses, y rivalizan por atraer clientes transfomando el comprar en un verdadero paseo familiar de fin de semana. Paralelamente las tarjetas de crédito Visa, Diners, Master-Card o American Express ayudan al financiamiento de miles de familias, sistema que comenzaron a utilizar –con tarjetas de crédito propias– grandes establecimientos comerciales como Falabella, Almacenes París, Ripley, y otros.

Se puede viajar a Concepción, de noche, en buses-cama, con televisor, o con video-cassette, por un precio más bajo que el del viaje en tren, y es posible telefonear desde Panguipulli –ciudad sureña de 30.000 habitantes– a cualquier lugar del mundo a través de discado directo. ¿La revolución de los servicios?: Una realidad de la que ya disfruta el consumidor chileno.

Los nuevos negocios del sector privado

Labores que antes estaban sólo reservadas al sector público, han comenzado a ser efectuadas con éxito por empresas privadas. Las Instituciones de Salud Previsional, más conocidas como Isapres, con un millón de beneficiarios, han generado una demanda por servicios de salud cubiertos por el sector privado. Las primeras cuadras de la calle Salvador, en Santiago, constituyen hoy un verdadero "barrio médico", en el que en menos de medio kilómetro compiten entre sí laboratorios, clínicas dentales y centros de salud.

La previsión privada es una realidad para más de dos millones de afiliados a las Asociaciones de Fondos de Pensiones, AFP, y para cientos de jubilados y pensionados del nuevo sistema.

Entre otros, el sector privado también incursiona fuertemente en el campo de la educación, con la creación de numerosos colegios particulares y de 2.700 escuelas privadas subvencionadas por el Estado. Centros de formación técnica, institutos profesionales, y hasta universidades, constituyen hoy nuevas alternativas privadas para quienes terminan su educación escolar. Se ha generado, incluso, una industria privada de apoyo a la educación, dedicada especialmente a crear programas computacionales para la enseñanza de las más diversas materias.

Profesionalización del combate a la pobreza

Organismos públicos y privados participan, con mayores medios y mejor organización, en la lucha contra la extrema pobreza, cuyo objetivo es incorporar a 1.500.000 chilenos a los beneficios del progreso. Si comparamos con períodos anteriores, las políticas de ayuda a los sectores de menores recursos han cambiado significativamente, caracterizándose ahora por utilizar técnicas empresariales de administración, que permiten llegar con la ayuda en forma más directa y eficiente.

A la acción gubernamental a través de la Secretaría de Desarrollo Social, el Servicio Nacional de Menores, la Junta Nacional de Jardines Infantiles y otros organismos, se suma la labor de instituciones privadas como Mi Casa, la Fundación Miguel Kast y el Hogar de Cristo. Paralelamente se ha desarrollado una industria que provee de miles de raciones, de almuerzos y desayunos a las escuelas de niños en extrema pobreza.

La sociedad de las opciones

Los chilenos comienzan paulatinamente a vivir con muchas más opciones que en el pasado. La sociedad de "esto o el otro", con dos o tres alternativas como máximo, ha sido superada por una nueva sociedad de "opciones múltiples", en que es posible elegir entre las más diversas posibilidades.

Estábamos acostumbrados a jubilar en la Caja de Empleados Públicos, el Servicio de Seguro Social o la Caja de Empleados Particulares; a confiar nuestra salud al Servicio Nacional de Salud o al Servicio Médico Nacional; a estudiar en la Universidad de Chile, Católica o Técnica; a ver televisión en el canal 13, el 11 o el 7. Hoy la situación es muy distinta: podemos jubilar en la Administradora de Fondos de Pensiones que elijamos, entre más de diez distintas; confiar nuestra salud al instituto de salud previsional que queramos, de entre cerca de veinte; seguir estudios superiores en cualquiera de las veinticinco universidades o institutos profesionales públicos o privados; podemos elegir entre cinco canales de televisión en Santiago, cuatro de televisión por cable, mientras que un número creciente de familias está confeccionando su propia programación arrendando películas en cualquiera de los ochenta y siete clubes de video existentes en las principales ciudades del país.

Una dueña de casa que entraba a comprar a un supermercado Almac en 1974, podía elegir entre 5.500 productos diferentes. Hoy sus posibilidades de opción alcanzan a 15.500 ítems distintos.

El país del presente

Las páginas que siguen pretenden mostrar cómo, las diez tendencias que hemos visto sumariamente antes, están transformando Chile. No se trata, como algunos pueden pensar, de adelantarse a describir el país del futuro: las tendencias a que nos referimos forman parte del Chile del presente. Son hoy una realidad que no requiere de cifras, ni de proyecciones, ni de teorías. Cualquiera podrá apreciarlas con sólo abrir las ventanas, caminar por las calles, utilizar los medios de transporte, trabajar en su oficina, encender el televisor o conversar con sus hijos menores.

Es que a veces vivimos tan rápido, que nuestra sociedad parece moverse de un hecho al otro casi circunstancialmente, a una velocidad que nos impide observar los cambios de fondo que están ocurriendo.

2. Integración con el mundo

Según señala el periodista Eugenio Lira Massi en su libro *La cueva del Senado y los 45 senadores*, el ex presidente Salvador Allende iniciaba siempre sus discursos arengando a los "obreros del cobre, del acero, del salitre y del carbón...", lo que obedecía a la importancia que dichos sectores tenían en la economía de ese entonces. La realidad de hoy es distinta: el cobre, que representó en 1973 el 80 por ciento de las exportaciones chilenas, es actualmente alrededor de un 40 por ciento de ellas.

La industria forestal, con exportaciones por 500 millones de dólares, supera con creces la actividad del acero. La fruta es hoy mucho más importante que el salitre, y la pesca, más que el carbón. Hasta la industria de la computación, que incluye la producción y exportación de *softwares* a países vecinos, con ventas por 230 millones de dólares y un crecimiento que la multiplica por diez entre 1980 y 1987, aparece hoy como una de las industrias líderes. La economía chilena ha cambiado y está cambiando, tanto que los presidentes del futuro, si quisieran emular a Allende, tendrían que referirse a los "obreros del cobre, de los parronales, de los bosques, trabajadores del mar, programadores de computación, etc.".

Los cambios obedecen principalmente a un factor: la integración de Chile en la economía mundial, megatendencia que constituye la base de la "revolución silenciosa" que describiremos en este capítulo y en los restantes. Vivimos en un mundo interdependiente, en que ya nadie es autosuficiente y aislarse tiene un alto costo en términos del nivel de vida de la población.

Estados Unidos necesita de Japón, la Unión Soviética de Occidente, China comienza a recibir grandes volúmenes de inversión extranjera, en tanto que Chile, mediante una fuerte reducción de las tarifas aduaneras y el fomento a las exportaciones, se integró para compartir con el mundo no sólo productos que compramos y vendemos, sino también tecnología, cultura e información.

Economía de la información

Además, nos hemos integrado con el exterior en un momento crucial: cuando el mundo está cambiando de la economía industrial a la "economía de la información". Paradojalmente, esto nos favorece, ya que en Chile el recurso escaso es el capital, y para participar exitosamente en la economía industrial se requiere de grandes capitales. En la "economía de la información", en cambio, el recurso relevante es el capital humano, la inteligencia, las personas, y Chile, con sus elevados niveles de educación, está mejor preparado para ingresar directamente en esta nueva sociedad, saltándose así la etapa de la economía industrial.

Formamos parte de una "economía global", en que por primera vez en la historia de la humanidad, a través de las comunicaciones vía satélite, el planeta entero comparte la misma información.

Los informativos de televisión que cubren diariamente las noticias internacionales, nos muestran las mismas imágenes que ven los televidentes norteamericanos.

Las pantallas de las mesas de dinero del Banco Central están conectadas las veinticuatro horas del día con las bolsas extranjeras, y conocen al instante las cotizaciones de monedas y productos en Tokio, Europa o Nueva York.

Actualmente, cientos de miles de teléfonos en diversas localidades del país, pueden comunicarse a través del discado directo con cientos de millones de personas en docenas de países.

La "información compartida" y la posibilidad de importar hacen que Chile, independiente de su lejana ubicación geográfica, esté mucho más cerca del mundo –de hecho, el número de pasajeros que viaja por línea aérea desde o hacia Chile creció en 55 por ciento en los últimos diez años–, lo que se traduce en que los hallazgos y cambios externos se trasladen rápidamente a nuestro país: la moda de la minifalda, de mediados de la década del sesenta, llegó a Chile dos años después de su inicio en Europa; en cambio, el llamado "blue-jean nevado", hoy de moda entre los jóvenes, llegó al país apenas dos meses después de que partiera en Río de Janeiro, en noviembre de 1986.

Los nuevos precios

Cuando una economía se integra con el exterior, se producen diversos fenómenos que terminan por modificarla totalmente. El primer efecto es el cambio de los precios, ya que bajan los de aquellos productos que es más barato traer desde el exterior, y tienden a subir los de aquellos que podemos vender a otros países. Un estudio realizado por el ingeniero

29

comercial de la Universidad Católica, Pablo Gómez, revela que en los últimos diez años el precio de los televisores en blanco y negro se redujo en 61 por ciento, mientras que el de los relojes lo hizo en 55 por ciento. También disminuyó el valor de los automóviles, refrigeradores, lavadoras y de la mayoría de los bienes durables, como consecuencia de la mayor oferta que representan las importaciones. A su vez, y como efecto del incremento en el valor del petróleo, el precio de la parafina se multiplicó por cuatro en el mismo período.

Las variaciones profundas en los precios se traducen, por ejemplo, en que en 1976 se podía comprar un televisor en blanco y negro con el equivalente de 1.030 kilos de manzanas, en tanto que en 1985 el mismo televisor se adquiría con el equivalente de sólo 358 kilos. Según cifras del Instituto Nacional de Estadísticas, el dinero necesario para comprar un refrigerador en 1976 era el mismo que debía gastar una persona en cortarse el pelo 315 veces. Diez años después, el mismo refrigerador equivalía al precio de 136 cortes de pelo.

El mismo estudio de Gómez muestra que "el consumidor ha aprovechado los cambios en precios relativos para adquirir en mayor grado los productos que se abarataron a consecuencia de la integración de la economía con el exterior, lo que es especialmente relevante en el caso de los bienes durables. La posesión de bienes durables constituye, al menos parcialmente, una vía de acceso a mejores niveles de educación y cultura, y acceso a nueva tecnología –radio, televisión– que permite una mayor integración a la sociedad de los sectores más marginados de la población''.

El número de automóviles pasó de 262.000 en 1976, a más de 600.000 en 1985, lo que permite que cinco de cada cien chilenos tengan un vehículo, contra 1,89 por cada cien en 1970.

Según cifras del último censo, el número de televisores en los hogares chilenos pasó de 335.388 en 1970, a 1.932.575 en 1982. Y el número de hogares con televisor, del 19% al 78%.

El 91% de los hogares posee una radio, según estudio del Instituto Latinoamericano de Estudios Sociales, Ilades, en tanto que el número de lavadoras –artefacto que no fue incluido en el censo de 1970 por considerársele irrelevante en cuanto a su cantidad- supera el millón.

Más de dos millones de bicicletas circulan por las calles y caminos, transformándose en un medio de transporte económico, que permite ahorrar el costo de los micros. La bicicleta es utilizada cada vez con mayor frecuencia por los jóvenes campesinos del sector exportador, lo que hace que los automovilistas que viajan por las carreteras de San Felipe o de Los Andes deban circular con especial cuidado.

La economía que nace y la que muere

El modelo de economía global, integrada al mundo, representa una completa readecuación del aparato productivo. Ciertas actividades se expanden, mientras otras disminuyen su importancia relativa. Hoy crecen las industrias que al competir con el exterior fueron capaces de modernizarse, aquellas en las que el país tiene especiales ventajas, y las que ofrecen servicios de apoyo al sector exportador.

Según explica John Naisbitt en su best-seller *Megatrends* (Warner Books, New York, 1984), en Estados Unidos existen actualmente dos economías: una que emerge y otra que se retira lentamente. Lo mismo ocurre en Chile, situación que genera una economía dual, que confunde a quienes la analizan de acuerdo a viejos índices que están muriendo junto con

31

lema económico que representaban. Solíamos medir la
ltura con un índice de catorce cultivos, pero éste no
e a la uva, que es hoy el principal producto del sector y
el segundo ítem de exportaciones del país, ni tampoco a la
madera, las manzanas, los espárragos, ni los kiwis.

Simultáneamente, parte del país está en auge y otra en
recesión. Mientras el desempleo supera el 12% en la Quinta
Región, especialmente debido a los problemas que enfrenta
la zona de Valparaíso, los trabajos están hoy en otras partes.
El desempleo se sitúa por debajo del 6% en Copiapó, en la
Sexta Región, en la Décima y en Aysén. En las zonas donde
se desarrolla la agricultura o la pesca de exportación, hay
escasez de mano de obra.

Las industrias en auge se encuentran, en general, lejos de
Santiago, y no resultan visibles para los capitalinos, pues las
regiones comercian directamente con el exterior. Iquique
envía harina de pescado, Concepción maderas, Copiapó uvas
de sus parronales, y Puerto Montt y Aysén, salmones. La
captura total de productos del mar creció de 1,2 millones de
toneladas en 1977, a 5,4 millones en 1986. La capacidad de
producción de celulosa pasó de 350.000 toneladas en 1973, a
846.000 en 1986, en tanto que las exportaciones de productos
agrícolas se multiplicaron más de diez veces en el mismo
período.

Modernización de la agricultura

Entre los sectores que se han modernizado, sin duda la
agricultura ocupa un lugar especial.

Las exportaciones frutícolas crecieron 25 veces en el
lapso 1973-1986.

El sector cuenta hoy con la más moderna infraestructura en frigoríficos, atmósfera controlada y riego por goteo.

En cuanto a la producción de uva, las variedades chilenas son tan modernas como las de Estados Unidos.

La superficie de huertos industriales plantada en los principales rubros frutícolas de exportación aumentó de 49.000 a 105.000, liderando Chile el mercado mundial de uva de mesa, de duraznos y de nectarines.

En 1986 se importaron 2.875 tractores, cifra que representa un incremento de 149% respecto del año anterior, y constituye la segunda cifra anual más alta de la historia de Chile.

Debido a la utilización de mejor tecnología y de fertilizantes adecuados, el rendimiento del trigo pasó de 14 quintales métricos por hectárea en la cosecha 1972-73, a 28,6 quintales en la cosecha 1985-86. En el mismo lapso el rendimiento del maíz subió 132%, mientras que el de la remolacha lo hizo en 35%.

El Instituto de Investigaciones Agropecuarias, INIA, creó en 1982 el programa Grupos de Transferencia Tecnológica; su iniciador, Roberto Soza, fue contratado por el Banco Mundial para trasladar la experiencia a otros países. Actualmente el número de dichos grupos llega a 141, desde Copiapó hasta Bahía Inútil, en la Décimosegunda Región, agrupando entre 15 y 20 agricultores cada uno. Las reuniones se realizan una vez en cada fundo, de tal forma que cada agricultor es, a su vez, anfitrión y visitante, lo que le permite conocer e intercambiar experiencias, generándose círculos de "irradiación tecnológica".

Las inversiones extranjeras, con el aporte tecnológico que representan, están llegando crecientemente al sector. Sin hacer referencia a la fruticultura, donde los ejemplos son múltiples, Shell-Chile adquirió hace poco la Hacienda Ruca-manqui, ganando la licitación respectiva con una oferta de $ 1.286 millones. El grupo cervecero alemán Paulaner com-pró en 2 millones de dólares un fundo de 750 hectáreas en Río Bueno, las que destinará a plantaciones de lúpulo, mate-ria prima para la fabricación de cerveza. El grupo árabe de Suleiman Al-Rajhi invirtió 3,7 millones de dólares para comprar otro 25% de la propiedad de la Hacienda Rupanco, con lo que aumentó su control al 100%. La hacienda, de 46.000 hectáreas, una de las más grandes del país, posee 27.500 cabezas de vacuno, e incursiona ahora en la plantación de berries.

El grupo chileno de Anacleto Angelini, que compró en 2 millones de dólares la Hacienda Baño Nuevo, importó carneros de Nueva Zelandia para mejorar la producción ovina con nueva tecnología.

Enfrentada a la dura competencia externa, la industria nacional debió hacerse eficiente para competir. Las importa-ciones de bienes de capital, que en 1984 representaron el 16% de las compras chilenas en el exterior, constituyen actual-mente el 25%, principalmente maquinaria industrial que permitió renovar las técnicas de producción.

La minifalda y el bluejean

Uno de los mayores cambios causados por la integración con el mundo lo constituye la "revolución del vestir", que dejó profunda huella en la industria textil. El consumidor se vio beneficiado con las poleras, casacas y pantalones de mezclilla a bajos precios, provenientes de Taiwán, Corea y otros países orientales. La proliferación de cadenas de tiendas de comercialización como Insólito e Inaudito se en-cargó de hacer llegar los artículos importados al consumidor chileno. Actualmente, la ropa usada de procedencia norteamericana continúa siendo una alternativa variada y barata para personas de bajos ingresos. En los últimos diez años, la compra de ropa usada en el exterior se incrementó 16 veces, pasando de 138 toneladas en 1977, a 2.199 toneladas en 1986.

El *boom* de las importaciones encontró a mal traer a la industria textil chilena, tradicionalmente protegida y acostumbrada a "vender todo lo que se producía". Ayudadas por la misma política de dólar barato que aprovechaban los importadores, diversas empresas renovaron su maquinaria en el exterior, al mismo tiempo que la liberalización laboral les permitió reducir costos. Manufactureras Chilenas de Algodón, Machasa, el gigante del sector, adquirió 45 modernos telares, con una inversión de 6 millones de dólares. La empresa, formada por las ex textiles Yarur, Panal y Caupolicán, producía 5 millones y medio de metros de tela, con 5.000 operarios, en tanto que hoy, con 2.500 trabajadores, produce 4 millones de metros de tela de mucho mayor densidad. Según el gerente de ventas de Machasa, la necesidad de enfrentar con éxito a las importaciones se tradujo en un cambio total de la estructura de producción. Antes se fabricaba lo que la empresa era capaz de producir, mientras que hoy se fabrica lo que el consumidor quiere comprar. "Como no hay barreras a la entrada –explica–, lo que está de moda en París o Nueva York está de moda también en Chile. A diferencia de lo que ocurrió hace algunos años con la minifalda, el bluejean nevado era novedad en Europa en noviembre de 1986, y alcanzó a llegar aquí a fines del verano de 1987. Antes la moda se demoraba mucho más en llegar, pero ahora las revistas nacionales como *Paula* reflejan instantáneamente los gustos internacionales en el vestir''.

Entre los cambios en los hábitos que son consecuencia de la integración con el mundo, los expertos del sector textil mencionan el uso del bluejean y las zapatillas de gimnasia entre la juventud. El año 1986 se importaron 7 millones de metros de mezclilla para fabricar bluejeans, cinco veces más que en 1970. A su vez, las importaciones de zapatillas, la mayoría de marcas como Puma, Nike y Brooks, representaron el 82% del total de las importaciones de calzado en el primer semestre de 1987.

Cerrando el círculo que se inició con la competencia de las importaciones y la posterior modernización, la industria textil comienza ahora a exportar: Machasa vendió 3 y medio millones de metros a Estados Unidos y Europa, en tanto que la Sociedad Exportadora, Soexpo, y Contex (Wrangler), instaladas en Arica, exportan bluejeans, dando trabajo a 400 personas. Asimismo, Lamaexport, desde la zona franca de Iquique, genera trabajo para 60 personas, en un local de 80 metros cuadrados, fabricando zapatilllas de exportación.

Las empresas que sustituyen importaciones y aquellas que ofrecen servicios al sector exportador se han desarrollado significativamente en los últimos años.

En cuatro años de duro trabajo, la Compañía Manufacturera de Papeles y Cartones, CMPC, ha logrado sustituir con producción nacional un 50% de las cajas de cartón corrugado utilizadas por la fruta de exportación, que incluye 15 millones de cajas de manzanas y 3,6 millones de cajas de uva. El resto de la uva aún se embarca en cajas de madera, pero se presume que muy luego cambiará al cartón corrugado, debido a disposiciones sanitarias que existen para Europa. Con un mercado en constante crecimiento, CMPC desarrolló una tecnología que le permite competir de "igual a igual" con la caja de cartón fabricada en Estados Unidos. La empresa posee una cámara frigorífica en que se simulan las condiciones de embarque para experimentar el grado de resistencia de las diferentes cajas en un viaje de 40 días, en el caso del Medio Oriente, y de 15 días para Estados Unidos. En el laboratorio, las cajas son sometidas a pruebas de compresión y lanzadas de diversas alturas para observar su resistencia ante un eventual maltrato en los puertos de desembarque.

Consecuente con el desarrollo de las exportaciones, CMPC diseñó, a pedido de Lever Chile, una caja para exportar salmón fresco, que va a sustituir a la actual de plumavit con mejor resultado y a más bajo precio. También se desarrollaron cajas de cartón para la exportación de carne, a solicitud de la Fundación Chile, y para la venta al exterior de sillas de la empresa CIC Hogar.

En otro rubro de exportación, como la pesca, la industria nacional de apoyo al sector está también en creciente desarrollo. En 1985, la empresa Pesquera Coloso encargó a Astilleros Marco, de Iquique, la construcción de un moderno barco, equipado con la más sofisticada tecnología en redes y equipos electrónicos. La empresa, cuyo propietario es Peter Schmidt, con astilleros en Estados Unidos y Taiwán, y empresas en España, México, Perú y Panamá, construyó, a un costo de 2 millones de dólares, el barco *Intrépido*, el primero de la serie Marco-550, aludiendo a su capacidad de 550 toneladas. El barco tiene piezas importadas de Estados Unidos y Sudáfrica, redes y equipos electrónicos japoneses. Un sofisticado computador permite observar en la pantalla los cardúmenes de peces, en tanto que el propio computador elige cuál es el más conveniente, dirigiendo el barco hacia aquél y dibujando, en la pantalla, la forma óptima para lanzar la red –"lance", en lenguaje pesquero–. Al *Intrépido* le siguió el *Aventurero*, y ya se espera el tercer barco que poco tiempo atrás Coloso encargó a Marco.

Pañales para bebés uruguayos

La sustitución de importaciones y la "copia" de tecnología constituye una receta de éxito. En 1983, un 3% de los bebés chilenos utilizaba pañales desechables. Ese año, la Compañía Manufacturera de Papeles y Cartones, con tecnología norteamericana, puso en marcha su fábrica de pañales desechables, utilizando un diseño más anatómico y con elástico en las piernas. También rompió precios, ingresando al mercado con pañales un 40% más bajo que los de la competencia de entonces. Cuatro años después, las importaciones se han reducido a cero, en tanto que alrededor de 75.000 familias y un 15% de los bebés están usando pañales desechables marca Babysan.

Según ejecutivos de CMPC, el mercado está creciendo debido a dos factores: el pañal desechable "cuida" mejor al bebé, ya que no está en contacto con la humedad y los residuos de detergentes utilizados en el lavado de los pañales de tela. Al mismo tiempo, resulta más cómodo, pues ahorra tiempo a la madre. Con una agresiva campaña publicitaria, regalando pañales a las madres en las clínicas y visitándolas casa por casa tres meses después para ver los resultados, Babysan constituye hoy una realidad importante en el mercado del recién nacido.

Y al igual que en la historia de muchos otros productos, CMPC inició la exportación de Babysan, marca que hoy es la más usada entre los bebés uruguayos y paraguayos.

En esta economía global, en que todos fabrican para todos, y todos compiten con todos, la principal competencia para la comercializadora chilena Mellafe y Salas no son los televisores nacionales marca IRT, sino los Sony, de Japón, o los Samsung, de Corea. Asimismo, la producción compartida constituye literalmente un nuevo mundo de posibilidades. Según Naisbitt, en su obra ya citada, antes de que Japón comenzara a hacer computadores, las calculadoras de bolsillo que fabricaba tenían como única pieza hecha en ese país una placa de metal que decía *Made in Japan*. Los componentes electrónicos eran importados de Estados Unidos, y se armaban en Singapur o en Indonesia. Hoy en Chile, la experiencia de Astilleros Marco, cuyo sofisticado Marco-550 tiene –como ya dijimos– piezas y equipos de diversos países, es otro ejemplo de esta economía global.

Tecnología extranjera para el desarrollo

El mundo de la información y de la producción compartida, también comparte con nosotros su tecnología. Chile se ha transformado en los últimos años, debido a su novedoso esquema de conversión de la deuda externa, y a su sistema económico, en un país capaz de atraer importantes inversiones extranjeras, especialmente valiosas por su impacto tecnológico y porque están transformando a nuestros acreedores en socios.

Shell, Westfield y el Citibank, adquirieron el yacimiento de oro y plata Choquelimpie, con una inversión de más de 35 millones de dólares.

El grupo Kowa efectuó la primera compra de acciones de una empresa chilena por parte de capitales japoneses, adquiriendo 1 millón de dólares en acciones de la Sociedad Química y Minera de Chile, Soquimich.

El banco Security Pacific compró el 10% de Chilectra Metropolitana, con una inversión de 12 millones de dólares.

El grupo árabe Bin Mahfouz, propietario de C y D Internacional, empresa comercializadora de fruta de exportación,

de la pesquera Eicomar y de otras compañías, compró el 8%
de Chilectra Quinta Región.

Una importante inversión de Amax Exploration, en
conjunto con la Corporación de Fomento, Corfo, y Molib-
deno y Metales, Molymet, transformará a Chile en el primer
productor mundial de litio.

La multinacional japonesa Mitsubishi se asoció con Forestal Colcura para levantar una planta productora de astillas
y un puerto para su desembarque.

El grupo cervecero alemán Paulaner adquirió, en
conjunto con el conglomerado de Andrónico Luksic, la propiedad de la Compañía Cervecerías Unidas.

Aprovechando nuestras ventajas comparativas de la
nieve, un consorcio francés está llevando a cabo el proyecto
Valle Nevado, con una inversión superior a los 100 millones
de dólares. Valle Nevado, a 40 kilómetros de Santiago, podrá atender simultáneamente a unos 30 mil esquiadores.

BAT Industries, de Inglaterra, propietaria de Empresas
CCT, entre las que se cuentan la Compañía Chilena de Tabacos, Agroindustrial Malloa –la empresa exportadora de
conservas más grande de latinoamérica– y otras sociedades,
creó Bioplant, empresa especializada en el desarrollo de bio-
tecnología.

Más cerca de Australia que de Perú y Bolivia

Desafiando a la geografía y a la planificación de decenas
de economistas, que en la década del sesenta soñaron un
Chile integrado con Perú, Bolivia, Ecuador y otros países
andinos, el país de hoy se parece más a Australia y a Nueva
Zelandia que a nuestros vecinos latinoamericanos. En los
últimos dos años se ha generado un creciente intercambio con

esas dos naciones, cuya geografía, clima y ventajas comparativas se complementan con la nuestra.

Carter Holt Harvey, empresa líder de Nueva Zelandia, ocupó las primeras planas de la prensa de ese país al concretar, asociándose con el grupo de Anacleto Angelini en la compra de la compañía de Petróleos de Chile (Copec), la mayor inversión realizada nunca por una empresa neozelandesa en América latina.

New Zealand Dairy Board, una de las más grandes exportadoras de productos lácteos del mundo, adquirió la Sociedad Productores de Leche, Soprole, y Anagra Chile.

Tasman Forestry, filial de Fletcher Challenge, la empresa forestal más grande de Nueva Zelandia, adquirió el 50% de Papeles Bío-Bío a la Compañía Manufacturera de Papeles y Cartones. Asimismo, compró 36.000 hectáreas de bosques, y desarrolla actualmente un proyecto de mejoramiento genético del pino destinado a producir madera blanca sin nudos, lo que permitiría triplicar el valor de nuestra riqueza forestal.

El millonario australiano Robert Holmes a Court, propietario de Broken Hill Properties, BHP, dueño de Utah International, aprobó la inversión en el proyecto minero La Escondida.

Ejecutivos del New Zealand Council of Wool se reunieron con productores de Magallanes para consolidar el proyecto de incorporar la producción total de lana chilena a los sistemas de comercialización neozelandeses.

Carter Holt, de Nueva Zelandia, adquirió más del 30% de las acciones de Pesquera Iquique.

El grupo australiano que encabeza Alan Bond compró el mineral de El Indio a través de la adquisición de Saint Joe Gold Corporation. El grupo Bond, que postuló también a la compra de la Compañía de Teléfonos de Chile, tuvo como rival en la adquisición de El Indio a otro conglomerado australiano, Western Mining, interesado asimismo en invertir en Chile.

El empresario neozelandés Robert Owens compró el 5% de la compañía Carbonífera Schwager, y arrendó el puerto de Coronel, efectuando importantes inversiones en su infraestructura.

Fin de los mausoleos industriales

La profunda transformación estructural que está experimentando la economía chilena tiene un símbolo a orillas de la carretera longitudinal sur, poco antes de llegar a Rancagua. Hasta hace poco tiempo, los viajeros podían observar allí el abandonado edificio que fuera la planta de montaje de la Fiat. Hoy, adquirido por el grupo árabe Bin Mahfouz, está transformado en un moderno frigorífico frutero, de novedosa tecnología. Todo un símbolo de una economía que muere y de otra que nace.

3. *Made in Chile*

Para un número cada vez mayor de empresarios chilenos, los doce millones de habitantes del país ya no son el principal mercado para sus productos. Al contrario, ahora el mercado es el mundo, y la conquista de los consumidores internacionales constituye el principal desafío del momento. Mientras en 1971 exportábamos 412 productos diferentes a 58 países, el sello *Made in Chile* acompaña hoy a 1.343 productos en 112 países. Entre 1973 y fines de 1986 el número de empresas que exportan se multiplicó trece veces, incremento que resulta especialmente significativo en los últimos dos años, al incorporarse al proceso exportador 798 empresas.

La revolución del comercio exterior se ha traducido también en un cambio total en la estructura de las exportaciones, reduciéndose la importancia del cobre –que, como ya dijimos, en 1973 representó el 82% del total, en tanto que hoy llega sólo al 40%–, y aumentando la de aquellos productos en que Chile tiene especiales ventajas comparativas, como la fruta, la madera y la pesca. Hoy se vive ya una segunda etapa, en que se está pasando de la exportación de materias primas a la de productos más sofisticados: la pesca tradicional da paso a los congelados y a los salmones; los rollizos a los muebles, la fruta fresca a las conservas.

Los productores industriales se organizan en consorcios para enfrentar juntos el mercado externo, mientras la exportación de "inteligencia" comienza a desarrollarse con la venta de programas de computación a nuestros vecinos latinoamericanos. Todo lo anterior incluye, además, el ingenio tradicional del chileno que lo lleva hoy a exportar arañas a Alemania, palitos de helado a Bolivia, liebres silvestres a Francia, juguetes de peluche a Canadá, y hasta palitos para comer arroz a China. La presencia en ferias internacionales, los viajes de misiones comerciales chilenas al exterior, la actuación de ejecutivos de ProChile transformados en "vendedores con maletín", y el auge de la creación de nuevas empresas interesadas en exportar, especialmente en las Regiones, auguran para Chile un porvenir exportador.

La revolución de la uva

La palabra *boom* aplicada a las exportaciones resulta una realidad para muchos productos, pero hay uno en que ésta es especialmente válida: la fruta. Los que han viajado por la carretera panamericana sur en los últimos meses, habrán observado la gran cantidad de nuevas plantas frigoríficas, empacadoras e instalaciones de empresas fruteras. Más allá de la observación visual, una simple comparación permite apreciar el fenómeno: entre 1974 y 1986, las exportaciones totales se multiplicaron por dos; las agrícolas se multiplicaron por once, y las de frutas por veinticinco, llegando a casi 500 millones de dólares.

Así como la Corporación Nacional del Cobre de Chile, Codelco, es líder en el mercado mundial del cobre, las fruteras chilenas también lo son en sus respectivas áreas. Chile es hoy el más importante exportador de uva de mesa del hemisferio sur, con el 85% del total de esas exportaciones, vende el 92% de los duraznos y nectarines, y comparte con Argentina el liderazgo en peras y manzanas.

El *boom* de la fruta chilena obedece a las especiales ventajas comparativas del país. La principal de ellas: las estaciones climáticas cambiadas. Mientras Chile está en verano, Estados Unidos vive su helado invierno, y no tiene producción propia. Se neutraliza así la producción de uva de California y la de manzanas del Estado de Washington. Además, las condiciones climáticas del país, con diferencias significativas de temperatura entre el día y la noche, influyen en el tamaño, color y sabor de la fruta, en tanto que nuestra configuración geográfica permite que la uva vaya madurando en diferentes momentos del tiempo a lo largo del país, de tal forma que si Estados Unidos quiere uva a comienzos de diciembre, Chile envía la de Copiapó, después la de La Serena, luego la de San Felipe y Los Andes, para terminar en marzo, abril, e incluso mayo, con la de Talca y Chillán. Esta especial situación transforma a Chile en el único país del hemisferio sur capaz de abastecer al consumidor norteamericano y europeo durante un período ininterrumpido de seis meses, constituyéndose así en el más confiable de los proveedores.

La uva, las manzanas y las peras se han visto también beneficiadas con la moda de los productos naturales que hoy recorre Estados Unidos, avalada por médicos y nutricionistas que recetan a los consumidores frutas y hortalizas frescas para mantenerse en forma y evitar el sobrepeso.

Como el *boom* agrícola es reciente en Chile, todo se ha desarrollado utilizando la más moderna tecnología, que incluye riego por goteo e infraestructura frigorífica de atmósfera controlada. Las variedades de fruta utilizadas son biológicamente las mejores: Chile produce uva sin pepas, lo que –como ya se indicó– todavía no ocurre en Estados Unidos. La productividad es en Copiapó tan buena como en el valle de San Joaquín, en el corazón de California. Plantas computarizadas seleccionan la fruta, utilizando rayos electrónicos que al interceptarla la van separando de acuerdo al tamaño y color. Avanzadas técnicas de enfriamiento bajan la temperatura de la fruta recién cosechada en 20 grados en sólo minutos.

Atmósfera controlada O_2 at 2%

En frutas, el "último grito" de la tecnología mundial tiene un nombre: atmósfera controlada. A través de un sofisticado proceso que consiste en extraer el oxígeno reduciéndolo sólo a un dos por ciento, los frigoríficos de atmósfera controlada permiten que las manzanas, las peras y los kiwis se mantengan durante doce meses como si estuvieran recién cosechados. Chile cuenta hoy con cinco frigoríficos con atmósfera controlada, entre ellos con el mayor de Sudamérica, de propiedad de Unifrutti Traders Ltda. Esto permite cosechar la fruta y elegir después, sin apuro, los momentos en que el precio mundial está más alto. Nuestras manzanas, cosechadas en febrero o marzo –que en frigoríficos de atmósfera tradicional deberíamos vender a más tardar en abril o mayo–, pueden aprovechar ahora los altos precios de julio y agosto, y llegan "recién cosechadas" al mercado de Arabia Saudita en septiembre.

La que fue la planta automovilística de la Fiat, a la que nos referimos en el capítulo anterior, es hoy un frigorífico de alta tecnología, con atmósfera controlada para 250 mil cajas, y una moderna máquina que selecciona el color de las manzanas. Las más rojas se guardan en cajas especiales para enviarlas a Arabia Saudita, debido a que allá los consumidores "las prefieren rojas" porque las utilizan como adorno, en vez de flores.

Liderazgo empresarial

Mantener el liderazgo en el mercado mundial de la fruta ha obligado a las empresas chilenas a modernizarse significativamente. Según ejecutivos de David del Curto, la mayor empresa frutera del hemisferio sur, el negocio es hoy mucho más sofisticado. No se trata sólo de vender fruta, sino que la competencia lleva a considerar como factores decisivos el tamaño, el color y el sabor de aquella. La saturación progresiva de algunos mercados, y la competencia entre empresas chilenas y las grandes transnacionales fruteras que operan en Chile, requiere de personas especializadas en el difícil mundo del comercio internacional. Del Curto debe competir de igual a igual con Standard Trading Co., Dole, Unifrutti Traders, United Trading Co. y la mayoría de las grandes empresas fruteras del mundo, todas instaladas aquí, y que son también propietarias de inmensas flotas de buques que utilizan para transportar sus productos.

La competencia ha generado un gran ganador: el agricultor chileno. Todas las empresas mencionadas y muchas otras, además de competir por ganar los favores del consumidor en Estados Unidos, Europa o el Lejano Oriente, compiten por conseguir que los agricultores chilenos les vendan su fruta. La mayoría de ellos no trabaja con una empresa específica, sino que vende su producción a la que ofrezca los mejores precios.

La agricultura de exportación ha ido poco a poco extendiéndose geográficamente, hasta cubrir hoy, a través de diferentes cultivos, desde Copiapó hasta Puerto Montt. Las tierras más caras están en Copiapó, donde una hectárea, que
costaba sólo 50 dólares en 1977, puede transarse hoy hasta en
10.000 dólares, especialmente en los sectores más altos, de
donde procede la uva tempranera. En Copiapó está la agricultura de más avanzada tecnología en el país, y el *boom* de los
parronales es tan grande que una empresa privada se encuentra evaluando la posibilidad de que la fruta sea enviada a los
mercados mundiales directamente a través del puerto de
Caldera, lo que requiere de especiales inversiones.

La agricultura de exportación continúa en Ovalle, Vi-
cuña, Elqui, luego en Aconcagua, Santiago, y al sur, en
Rancagua, San Fernando, Curicó, Linares, Angol y Puerto
Montt. En la zona sur se trata especialmente de cerezas,
manzanas, peras, kiwis, y ahora también de espárragos, que
se dan muy bien en los *trumaos* de Chillán. En cada una de
esas zonas los cultivos tradicionales comienzan a ser despla-
zados totalmente, en tanto que el desarrollo genera la creación de plantas de recolección y selección, de frigoríficos,
empacadoras, y activa las inversiones en puertos y medios de
transporte, como camiones e incluso aviones.

A su vez, el desarrollo frutícola genera una verdadera
revolución en el mercado laboral de cada zona. En Copiapó
es necesario "importar" mano de obra desde Aconcagua y
Santiago durante la temporada de cosecha. Las empresas
establecen sistemas especiales de buses para transportar a sus
trabajadores desde la zona central al norte, construyendo
incluso moteles especiales para los "afuerinos". Del Curto

cuenta con un gran motel con habitaciones individuales, amobladas solamente con una cama y un televisor, en que viven durante tres meses al año los trabajadores "importados".

Los ingenieros agrónomos con buen nivel académico en la universidad son contratados por las empresas aún antes de titularse, en tanto que un buen horquillero –el encargado de coger los pallets con la grúa y meterlos en el frigorífico o en el buque–, gana alrededor de 200.000 pesos al mes.

La esperanza del kiwi

En el futuro del sector frutícola el kiwi se perfila como uno de los productos "estrellas". Como producto de consumo mundial, el kiwi tiene una historia todavía muy corta. Fue introducido en Europa hace diez años por los neozelandeses, que hicieron una fuerte campaña de marketing, dándole la imagen de una fruta sofisticada para consumidores de altos ingresos, que se servía en la primera clase de los aviones y en los hoteles de cinco estrellas. Ahora se trata de masificar su consumo, al precio de un dólar por kilo.

Nueva Zelandia, el pionero del kiwi, exportará 320 millones de dólares en esta temporada. Entretanto, en Chile, las plantaciones de esta fruta comienzan a aumentar aceleradamente, beneficiándose de dos factores: la productividad del kiwi en nuestro país es muy superior a la de Nueva Zelandia, y somos capaces de llegar a los mercados mundiales dos semanas antes que aquella nación. En Curicó se construyen hoy dos centrales frutícolas especializadas en kiwis, la mayor de las cuales pertenece a la empresa Unikiwi, filial de Unifrutti, que plantó 400 hectáreas de la referida fruta. A nivel nacional, el número de hectáreas plantadas pasó de 100, en 1978, a 2.600, en la actualidad.

Más allá de la gran industria frutera, hay muchos otros productos agrícolas cuya exportación está generando un importante efecto sobre las zonas en que se desarrollan.

El descubrimiento de propiedades curativas del aceite de rosa mosqueta, cuyo mercado lidera Comercial Envasadora Santa Magdalena, Coesam, empresa de Concepción que surgió al amparo de la Corporación Industrial para el Desarrollo Regional del Biobío, y que hoy exporta su producción a Estados Unidos, Brasil y Europa, representa una de la exportaciones de mayor impacto masivo en la Octava Región. La primera exportación se realizó en 1970, y ya en 1986, año en que se efectuó la venta pionera de aceite de pepa de rosa mosqueta al exterior, se superaron los 4 millones de dólares.

Durante el verano de 1987, Coesam generó un poder comprador de $ 300 millones en la zona comprendida entre San Carlos y Malleco, dando trabajo a 30.000 personas en la temporada de verano. Pagando hasta $ 50 por kilo –una persona puede recolectar hasta 100 kilos al día–, Coesam canceló dos millones de pesos a la comunidad pehuenche de Trapa-Trapa, la que recolectó 55 toneladas.

Las plantaciones de espárragos de la Octava Región –con 1.400 hectáreas plantadas y 8 toneladas de exportación por hectárea–, han producido un fuerte impacto en la contratación de mano de obra. Cuando estén en plena producción, se requerirán 90 vuelos aéreos desde Concepción durante la temporada para exportar los espárragos frescos.

En la Décima Región, donde por más de cien años sólo se produjo carne, leche y trigo, existen ahora plantaciones de espárragos y de berries –mora y frutilla–. Líder en la zona es Berries La Unión, empresa creada por la Fundación Chile en conjunto con tres empresarios. Según un estudio de la Universidad de Chile, la fruticultura podría llegar a desarrollar en el futuro 300.000 hectáreas en el sur.

La exportación de mora, con su efecto multiplicador de ingresos a los recolectores, situados en la zona que va desde Santiago a Concepción, ha tenido un crecimiento explosivo: de 91 mil dólares en 1984, saltó a más de 2 millones en 1986. En la recolección trabajan desde niños de 5 años hasta abuelos de 70.

Dos empresarios de Temuco abrieron un poder comprador de lupinos, los que son plantados por los mapuches –el cultivo es de bajo costo, ya que no requiere insumos ni fertilizantes–, permitiéndole a esta comunidad indígena un interesante ingreso. Actualmente se exportan 1,5 millones de dólares a Europa y los países árabes.

ProChile, junto con empresas de la zona sur, se encuentra desarrollando un plan para aprovechar el potencial melífero que ofrece la Carretera Austral. La llegada de abejas reinas canadienses permitirá mejorar la productividad de las 500.000 colmenas existentes en el país, el 50% de las cuales es de tipo rústico con una producción de miel de 12 kilos al año, en circunstancias que en otros países llega a 60 kilos.

La madera: un nuevo cobre

A gran velocidad, la madera, la celulosa y el sector forestal en general, se aprontan para reemplazar al cobre como la principal fuente de ingresos del país. El desarrollo explosivo obedece a dos factores: las especiales ventajas comparativas de Chile en relación a otros países, y la eliminación de las trabas legales que impedían la exportación de diversos

51

productos y encarecían los costos de embarque en los puertos.

La ventaja está clara: el pino radiata, en las zonas costeras entre la Sexta y la Décima Región, crece a un ritmo promedio de 22 a 23 metros cúbicos por hectárea al año, lo que triplica el crecimiento del pino del sur de los Estados Unidos, que lo hace a un ritmo de 7 metros cúbicos por hectárea al año. En otras palabras, el pino chileno se corta cuando tiene un poco más de veinte años, mientras que el pino norteamericano, cerca de los cuarenta años. Asimismo, aunque Nueva Zelandia, Australia, España, Portugal y Sudáfrica también cuentan con plantaciones de pino radiata, la mayor superficie de plantaciones de esta especie se encuentra en Chile, país que tiene también el más alto potencial de crecimiento.

Las plantaciones, que en 1973 alcanzaban a 290.000 hectáreas, se empinan hoy sobre 1.100.000 hectáreas, y se estima que el año 2000 llegarán a 1.600.000. Las plantaciones actualmente en explotación permiten una producción anual de madera de 11 millones de metros cúbicos, de los cuales el 65 por ciento se exporta como rollizos, madera aserrada, astillas, papel periódico o celulosa química. Se calcula que a fines de siglo la maduración de las nuevas plantaciones permitirá producir 24 millones de metros cúbicos de madera, de los cuales la mitad se utilizará en la fabricación de celulosa. A comienzos del siglo XXI, las exportaciones totales del sector superarán los 1.200 millones de dólares.

Las ventajas naturales se suman a los cambios en la legislación que liberalizaron las exportaciones del sector: hoy se vende al exterior todo tipo de madera. Desde los rollizos, que pueden ser vendidos inmediatamente después de talar el bosque, hasta la celulosa, pasando incluso por las astillas. Así el raleo del bosque también se aprovecha integralmente, pues se venden astillas a Japón y Europa.

Chile: 4.300 millas más cerca

Pero el cambio más revolucionario, que permitió una violenta reducción en los costos, se produjo en 1981. Según un estudio del presidente de la Cámara Marítima de la Octava Región, en 1975 los principales puertos de Chile –entre ellos Talcahuano y San Vicente– estaban copados. "Existía atoche de naves y costosas esperas de éstas para recoger la carga, con los consecuentes costos para el comercio exterior. Transcurridos doce años desde esa fecha, observamos que pese al impresionante crecimiento del comercio exterior, nuestros puertos no están atochados, no obstante que el país no hizo las millonarias ampliaciones de infraestructura que los expertos vaticinaban como imprescindibles. ¿Por qué fallaron los estudios?... Simplemente porque no consideraron el efecto espectacular de dos medidas tomadas en 1981: el término de los monopolios laborales y la incorporación del sector privado a realizar funciones hasta ese entonces privativas de la Empresa Portuaria de Chile.

"La competencia entre empresas privadas que realizan faenas portuarias provocó tal aumento de eficiencia –continúa el informe–, que Talcahuano y San Vicente, con las mismas instalaciones y pese a la pérdida de un sitio de atraque, han superado en 3,7 veces la carga transferida en 1975".

Agrega el estudio que las diferencias entre los costos que debían pagar las exportaciones por pasar por los puertos antes de las reformas mencionadas y los actuales, son tan grandes, "que el ahorro en el caso de los productos forestales –mirado en términos de costos de transporte– es equivalente a que Chile se haya acercado 4.300 millas a los países compradores". Nuevamente la economía pasó por encima de los mapas.

El factor tecnológico

Dos desafíos contempla el futuro del sector: la expansión de la capacidad productiva y el desarrollo tecnológico. En los próximos tres años, la actual capacidad de producción de celulosa química se incrementará en más de 30 por ciento con la construcción de cinco nuevas plantas, cada una de ellas con grandes inversiones.

El impacto más importante del último tiempo lo constituye la internacionalización, con la llegada de empresas neozelandesas, que están permitiendo la incorporación de una nueva tecnología que puede llegar a triplicar el valor de la riqueza forestal chilena. Mejores semillas y nuevas técnicas de viveros traídas de Nueva Zelandia –que consisten en la poda de las raíces, para hacer que éstas se desarrollen en profundidad en lugar de hacia los lados– se reflejan en que el pino de un año de edad es un 40% más robusto, tendencia que se mantiene a lo largo de su vida.

En Chile, diversos huertos semilleros, como el de "Escuadrón", perteneciente a la Compañía Manufacturera de Papeles y Cartones, ubicado en Concepción, realizan experimentos genéticos, como el injerto de yemas de árboles "buenos" en árboles chicos de viveros, y la reproducción de pinos a través de "patillas" en lugar de semillas.

De más está señalar que el impacto del sector forestal en las regiones del país en que se está desarrollando es considerable, yendo mucho más allá del alza en el valor de las tierras.

Las zonas de Arauco y Constitución, anteriormente conside-
radas como las más pobres de Chile, están hoy superando esa
condición.

Mientras en las áreas fruteras los campesinos cambiaron
el caballo por la bicicleta, en las áreas forestales se sacaron el
sombrero de huaso y se pusieron el casco. Los guardabos-
ques, con un sueldo de alrededor de 30.000 pesos mensuales,
se desplazan todos en motocicleta.

Y al igual que en el caso de la fruta, se observa la tendencia a la formación de una nueva generación de pequeños
empresarios orientados a la exportación de productos elabo-
rados, como muebles, ventanas, rejas, y otros elementos de
madera. Muebles Fourcade se sitúa a la vanguardia en las
exportaciones de muebles utilizando pino radiata.

La corriente de Humboldt

Ubicada básicamente en la zona norte, entre Arica y
Antofagasta, y en la Octava Región, la industria pesquera,
que incluye la venta de harina de pescado, pescado fresco y
congelado, proyecta exportaciones anuales de 700 millones
de dólares, con un crecimiento de diez veces en el volumen
total desembarcado si se compara 1973 con 1986. En este
mismo período, las exportaciones de harina de pescado se
multiplicaron por veinte, transformando a Chile en el líder
mundial. Diez años atrás ocupábamos el cuarto lugar.

Tal como en la fruta y en la madera, especiales ventajas
comparativas impulsan el desarrollo del sector. Las costas
chilenas, en especial las del norte, presentan fenómenos de
"surgencia" derivados de la corriente de Humboldt. Ésta
viene desde el sur y, al chocar contra las irregularidades
geográficas, genera movimientos de aguas abundantes en

alimentación para los peces. Muy pocos lugares en el mundo –entre los que se encuentran las costas peruanas y algunas zonas de Japón– logran tener la "productividad marina" del norte de Chile para el desarrollo de grandes concentraciones de peces denominados pelágicos, como la sardina española, el jurel y la anchoveta. Las concentraciones de peces pelágicos son tan enormes, que es posible observar desde los aviones varios kilómetros cuadrados de manchas o cardúmenes de ellos.

Cada planta pesquera tiene un avión, que normalmente sale de noche. Los peces se detectan debido a que suben a la superficie y agitan organismos microscópicos fosforescentes que iluminan la superficie del agua. El piloto da entonces aviso por radio y dirige la ejecución de los "lances". La red de un barco grande, importada desde Japón o Taiwán, cuesta alrededor de 200 mil dólares, y tiene entre 900 y 1.000 metros de largo con una profundidad de 160 metros, equivalente a cincuenta pisos de la Torre Santa María.

Tecnología noruega

El mercado de la harina de pescado es cada vez más competitivo y tecnificado. Los cinco grandes exportadores, Chile, Perú, Islandia, Noruega y Dinamarca, se intercambian semanalmente información de captura, producción, volúmenes de ventas y *stocks* disponibles, a través de la Fishmeal Exporters Organization.

La tecnología con que operan las empresas chilenas no tiene nada que envidiar a la de sus competidoras danesas o islandesas. La Pesquera Punta Angamos, perteneciente al grupo Angelini, con la más moderna tecnología de Sudamérica, funciona desde hace más de dos años utilizando en su totalidad el proceso noruego. Su objetivo es llegar a los clientes de los países escandinavos, que utilizan harina de pescado en forma diferente a la tradicional.

El impacto del sector pesquero es significativo en la zona norte. De hecho, además del incremento del empleo en el sector, y del efecto sobre las remuneraciones –un capitán de barco gana alrededor de 800.000 pesos al mes, en tanto que un tripulante unos 200.000 pesos–, se han desarrollado diversas industrias anexas, como la construcción de barcos, servicios de maestranza, distribuidores de combustible, comercio y otras.

El crecimiento de la flota resulta también espectacular: hace diez años había en la zona norte 17.000 toneladas de bodega a flote, con aproximadamente 100 barcos. Actualmente hay 48.000 toneladas de bodega a flote, con 200 barcos.

Pesca de profundidades

El gran desafío de la empresa privada pesquera es dar mayor valor agregado a su producción, lo que ha impulsado la fabricación de conservas, congelados, la pesca de profundidad y la creciente industria de la exportación de salmón fresco.

La pesca de profundidades, totalmente nueva en Chile y que se está realizando desde San Antonio al sur, comenzó a ser desarrollada por Pesquera Iquique, en asociación con empresarios neozelandeses, lanzando las redes a entre 300 y 1.000 metros de profundidad. Los resultados de esta acción y los tipos de peces que se encontrarán resultan hasta ahora desconocidos.

El mero, entre otros, es un pez de cuya existencia en

Chile nadie tenía conocimiento hasta hace cinco años atrás. Fue descubierto cuando un pescador lanzó su anzuelo a 1.000 metros de profundidad.

La pesca comienza a evolucionar hacia otros rubros: en los últimos cinco años ha habido fuerte inversión en "pesca fina", para consumo humano. Es el caso del congrio, el mero, la merluza española, los mariscos, y ahora el salmón. También comienzan a desarrollarse en mayor escala los cultivos de ostiones, choros y ostras.

El ingreso al sector pesquero de nuevos empresarios, la mayoría pequeños, premunidos de una lancha de 15 metros, que cuesta alrededor de 15 millones de pesos, está revolucionando el sector.

La nueva Escocia

La principal novedad la constituye el auge de las exportaciones de salmón fresco, fenómeno que ha cambiado la economía de Puerto Montt al sur, incluyendo especialmente Chiloé y Coihaique.

Las ventajas comparativas son el espacio disponible, las aguas frías y limpias y, nuevamente, el fenómeno de las "estaciones climáticas cambiadas", Además, somos productores de harina de pescado, el principal alimento del salmón en cautiverio. Una costa grande, con aguas limpias, permite la existencia de muchos lugares en que pueden efectuarse cultivos de salmón. En cambio, en Escocia, nuestro principal competidor, los lugares de cultivo ya están copados.

Hay dos sistemas para la crianza de salmones: en jaula o libres en el mar. La ventaja de este último reside en que los salmones se alimentan por sí solos, y el "secreto" está en lograr que un porcentaje importante de ellos vuelva a su lugar de destino en el momento oportuno. Pero esto crea problemas; el principal consiste en que "es imposible saber de quién son los salmones que vuelven". La inexistencia de derechos de propiedad no permite impedir que pescadores artesanales de la zona capturen a los salmones que regresan río arriba.

El cultivo en cautiverio, mediante jaulas, constituye la alternativa a este problema. En jaulas-balsas de diez metros por diez, con una red de 7 metros de profundidad, se crían 15.000 salmones, cuyos huevos son traídos desde Estados Unidos, Canadá y Escocia.

La industria del salmón ha exigido desarrollar una infraestructura para su cría y procesamiento. Muy luego comenzarán a construirse en el sur plantas de harina de pescado para alimentar a los salmones... algo que hasta hace poco parecía impensable. Asimismo, la necesidad de enviar salmón fresco a los mercados externos, para obtener los mejores márgenes de comercialización, obligará en el futuro cercano a una expansión de los sistemas de aeropuertos para que aterricen varios aviones al día en la zona durante la temporada de verano. La producción de la temporada 1987-1988, que llegará a 2.500 toneladas, requerirá de 76 aviones con capacidad para 33 toneladas cada una durante los meses de enero y febrero. Esto equivale a 1,3 vuelos diarios.

Los salmoneros se han organizado para buscar fórmulas de solución al problema de transporte en el futuro. La expansión de la producción será tan grande –12.000 toneladas estimadas para 1990– que en los meses de enero y febrero de 1991 serán necesarios 365 *charters* aéreos –más de 6 vuelos al día– para llevar el salmón fresco desde Puerto Montt y Coihaique hasta Nueva York... Otro de los desafíos que plantea la exportación.

El impacto de la pesca sobre la vida de la población suma y sigue...

Las empresas pesqueras del sur trabajan hoy a dos turnos, constituyendo una novedad en la zona. Pesquera Camanchaca tiene ahora que servir comida al personal seis veces al día, tres en cada turno. Durante las Fiestas Patrias las pesqueras tuvieron que pagar tres veces la remuneración normal para conseguir personal que estuviera dispuesto a trabajar.

Al igual que el auto-tren, el auge pesquero en el sur ha generado el funcionamiento de una lancha-tren. Pescadores artesanales se desplazan desde la Cuarta Región en ferrocarril con su lanchas, para aprovechar la temporada de extracción permitida de los locos.

En Tomé, la Pesquera Camanchaca emplea tres mil personas durante el período de extracción del langostino.

Calbuco vive hoy una revolución. Todas las mañanas el alcalde envía un bus a buscar trabajadores a Puerto Montt para hacer frente a la demanda del sector pesquero de la zona.

También la industria

Pero no todo es agricultura, madera o pesca. También la industria está exportando: de las 798 nuevas empresas que han comenzado a exportar en los últimos dos años, 548 pertenecen al sector industrial. El número de empresas exportadoras de artículos impresos pasó de 33 a 92 entre 1984 y 1986; el de manufacturas en general, de 248 a 548; el de productos químicos, de 132 a 243; y así en muchos rubros.

4. Nuevos polos de desarrollo

Poco a poco, Santiago ha dejado de ser Chile. El desarrollo económico y la integración con el mundo están haciendo que las regiones comiencen a tener una vida propia, cada vez más independiente de la capital. Indudablemente, el fenómeno no es igual en todas partes, y así como hay zonas que se desarrollan, basadas en sus propias ventajas comparativas, otras decrecen.

La geografía económica de Chile no es hoy la misma que hace una década. Por el contrario, el surgimiento de la agricultura de exportación, la madera y la pesca, han creado verdaderos polos de desarrollo en torno a ciudades como Iquique, Copiapó, Curicó, Concepción y Puerto Montt, las que crecen hoy a tasas muy superiores a las del resto del país. En cambio, como ya dijimos, Valparaíso ha visto disminuida su importancia relativa –quizás por la cercanía de un gran mercado consumidor como Santiago–. El número de empresas existentes en aquel puerto se ha reducido significativamente, y, con la excepción de *El Mercurio* y la Escuela de Negocios, han optado por trasladarse a la capital. Temuco, que en el *boom* de 1980 jugó un rol protagónico, no se encuentra hoy entre las ciudades que experimentan un mayor auge.

Las regiones tienen cada vez más vida propia, y prescinden crecientemente de la capital para llevar a cabo su diaria actividad. Sus productos se envían al exterior desde sus puertos. Con sus medios de comunicación y sus universidades, desarrollan su propia cultura basada en ventajas comparativas. La Universidad Arturo Prat, de Iquique, se especializa en formar técnicos pesqueros, con asesoría japonesa. La Universidad de Talca llamó a concurso para crear una carrera de agronomía especializada en genética de las plantas, contratando a los mejores especialistas de Chile y del extranjero, con el objeto de formar profesionales para la fruta. La Universidad del Bíobío es líder en nuestro país en la formación de ingenieros de ejecución en maderas. El Instituto Profesional de Osorno forma profesionales para las empresas salmoneras de la zona.

La existencia de una fluida comunicación aérea, junto al uso creciente de computadoras en línea, facsímiles, télex, teléfonos de discado directo, y últimamente de teleconferencias, hacen cada vez menos importante el lugar físico en que se encuentran las empresas. Hoy casi nada está lejos. Desde hace varios años la Facultad de Economía de la Universidad de Concepción estableció un sistema que los propios alumnos denominaron la "Universidad del Aire", ya que cuatro o cinco profesores de las universidades Católica y de Chile concurren por el día, en avión, a hacer clases a Concepción una vez cada quince días, contribuyendo así a un intercambio que eleva el nivel académico. El mismo programa se realiza ahora con la Universidad de Antofagasta y otras.

La Sociedad Nacional de Procesamiento de Datos, Sonda, la empresa de computación más grande de Chile y de Sudamérica, estudia la posibilidad de trasladar a sus ingenieros a trabajar y a "pensar" en Villarrica o en alguna tranquila ciudad provinciana, conectada "en línea" con Santiago. C y D Internacional, que adquirió la antigua planta de la Fiat, trasladó todas sus operaciones a la ciudad de Rancagua. Los agentes de sucursales bancarias ya dejaron de tener como máxima aspiración hacer una buena carrera para llegar a un puesto en la gerencia en Santiago. Por el contrario, cada vez se valora más la mayor calidad de vida existente en las Regiones, con espacios abiertos, naturaleza, aire puro, tranquilidad, menor desempleo y... mejores oportunidades de negocios. Los problemas de Santiago, con su mayor tasa de desempleo, y la delincuencia y el hacinamiento en algunas poblaciones, están contribuyendo a detener la migración.

¿Cuáles son las ciudades de Chile en que es más conveniente hacer negocios? ¿Cuáles las que experimentan hoy un mayor auge? Diversos indicadores permiten dar una respuesta.

Copiapó

Denominado el "Neguev Chileno" por su semejanza a la experiencia israelí transformando el desierto en un vergel, Copiapó experimenta un auge espectacular, basado en las plantaciones de parronales para uva de exportación. Entre 1973 y 1986 la superficie plantada con parronales se multiplicó por 71, aumentando de 55 a 4.000 hectáreas. La alta tecnología, de la cual fue pionera la empresa Valle Dorado, con riego por goteo computarizado, ha permitido que el número de cajas de uva de mesa exportadas por la Tercera Región, aumente en 45 veces en el mismo período, proyectándose que se duplicará antes de 1990.

Con el precio de la hectárea de tierra más caro de Chile, las remuneraciones en el sector agrícola del valle de Copiapó son también las más altas del país. Un trabajador obtiene alrededor de 1.200 pesos diarios –lo que sitúa a la Tercera Región en el segundo lugar en el *ranking* de los sueldos más altos de Chile según las cifras que manejan las Administradoras de Fondos de Pensiones–, en tanto que miles de personas viajan de otras regiones a Copiapó durante la época de la vendimia, que comienza a fines de noviembre, siendo recibidos por las empresas en gigantescos moteles especialmente construidos para ese efecto. Incluso, el empresario Alfonso Prohens, conocido como el pionero de los parronales en Copiapó, está construyendo un verdadero pueblo privado, llamado "Rodeo", que cuenta con viviendas, escuelas, posta médica y otros servicios.

Pero Copiapó es bastante más que los parronales. Anglo American, empresa sudafricana que produce el 60% del oro que se comercializa en el mundo, luego de un estudio de la cordillera mediante fotos satelitales, decidió efectuar cuatro prospecciones simultáneas al interior de Copiapó, con una inversión de más de 30 millones de dólares en los últimos seis años. El impacto en la zona fue considerable, ya que Anglo American construyó 300 kilómetros de caminos en la cordillera, los que hoy son aprovechados por numerosos mineros para efectuar sus propias prospecciones. Entretanto, encabezado por Pesquera Playa Blanca, también ligada a capitales sudafricanos, el desembarque pesquero pasó de 1.100 toneladas en 1973, a 236.000 en 1986.

El auge económico ha tenido una repercusión considerable en la ciudad, en su infraestructura y en el nivel de vida de sus habitantes.

El número de pasajeros que viaja entre Copiapó y Santiago por vía aérea, como ya se dijo, se multiplicó por 18 en los últimos cuatro años, constituyendo el crecimiento más explosivo en todo el país, lo que llevó a la Línea Aérea del Cobre, Ladeco, a incorporar a Copiapó en sus vuelos de itinerario.

La extensión urbana de la ciudad crece en 20 hectáreas anuales, multiplicándose por 15 el valor del terreno en el centro en los últimos doce años.

Entre 1973 y 1986 el número de establecimientos comerciales se incrementó de 558 a 1.930. En el mismo período, los establecimientos hoteleros y turísticos se quintuplicaron; paralelamente el número de buses para transporte de pasajeros que había en la región creció en 13 veces.

De acuerdo al censo de 1970, sólo 65 familias atacameñas poseían televisor, cifra que hoy es de 44.500.

Puerto Montt

A muchos kilómetros de distancia, al sur del país, Puerto Montt vive un *boom* basado especialmente en la pesca, constituyéndose en otro polo de desarrollo. En el último año, el desempleo ha caído en un 38%, en tanto que el número de empresas pesqueras instaladas en la región pasó de 16 a 92 en menos de una década. En dichas plantas trabajan más de 14.000 pescadores artesanales, un tercio del total existente en el país, con exportaciones que bordean los 40 millones de dólares. La reactivación del puerto de Puerto Montt resulta significativa, incrementándose el movimiento de carga de 36.000 toneladas en 1983 a 228.000 toneladas en 1986.

Detrás del reciente auge de Puerto Montt está la incorporación de nuevas tecnologías para el desarrollo de la acuicultura, a través del cultivo artificial de salmones, ostras y algas. La Décima Región cuenta actualmente con más de 120 centros de cultivo, de los cuales 49 se dedican a salmones. De hecho, 23 de éstos se establecieron entre julio y octubre de 1987. El explosivo crecimiento de la piscicultura dedicada a la producción de salmones se inició siete años atrás, cuando la Secretaría Regional de Planificación y Coordinación, Serplac, efectuó un estudio sobre los lugares aptos para dicha industria.

Hoy las inversiones anuales superan los 30 millones de dólares, pasando a ser Chile el tercer productor mundial de salmón del Pacífico. Miles de trabajadores profesionales y técnicos laboran en estas pisciculturas, que a la vez generan nuevos ingresos a los pescadores artesanales que suministran la alimentación de los salmones.

La internacionalización de la ciudad es creciente: Marine Harvest Chile, filial de Lever, con una inversión de 10 millones de dólares en el cultivo de salmones, tiene bajo cursos intensivos a sus profesionales –jóvenes sureños egresados del Instituto Profesional de Osorno–, los que deberán viajar a Escocia a perfeccionarse. A su vez, técnicos escoceses llegaron a Puerto Montt para enseñar a fabricar redes para salmones a mujeres de la zona.

El desarrollo pesquero trae aparejado un potencial de crecimiento para industrias de alta tecnología. Suralim, ubicada a un costado de la carretera longitudinal sur, cerca de Puerto Varas, desarrolló una exitosa dieta nueva para salmones. Esta permite que 2 kilos de alimento incrementen en 1 kilo el peso final del pez.

Otro impacto en el desarrollo de Puerto Montt lo constituye la puesta en marcha del Complejo Pesquero Artesanal; con una inversión de 11 millones de dólares, éste beneficiará a más de 2.000 pescadores a partir de octubre de 1988.

En la ciudad de Puerto Montt, las repercusiones de esta nueva economía resultan considerables.

Las líneas de buses Puerto Montt-Santiago transportan diariamente grandes volúmenes de pescado fresco para ser exportado a través del aeropuerto Comodoro Arturo Merino Benítez.

Debido a la escasez de mano de obra semi-calificada y al alto precio de los terrenos, las industrias pesqueras que recién se instalan están comenzando a localizarse en Puerto Varas y Llanquihue. El mayor nivel de empleo surte sus efectos: ya no es posible encontrar en Puerto Montt empleadas domésticas debido a la demanda de mano de obra femenina como manipuladoras en las empresas pesqueras.

Comienzan a instalarse empresas de apoyo al sector pesquero, fabricando cajas de plumavit y etiquetas para los productos de exportación. Y, como ocurre siempre, el desarrollo ha traído nuevos supermercados, centro médicos... y un alza fuerte en el precio de los arriendos.

Concepción

"Para hacer bien la inversión, hay que venir al sur". Como parodia de una conocida canción, los inversionistas extranjeros han cambiado el destino geográfico de sus fondos. Gracias a la madera, la pesca y la fruticultura, el sur ha desplazado al norte como el principal foco de atracción para los inversionistas foráneos. De los 1.000 millones de dólares de inversión extranjera de 1987 –cifra que quintuplica el promedio anual histórico–, el 50 por ciento está destinado al sur, superando todas las tendencias anteriores. Esto ha contribuido a que Concepción se consolide como la gran potencia emergente de la economía chilena.

De acuerdo con la mayoría de los indicadores económicos, el complejo Concepción-Talcahuano ya ha superado con creces a Valparaíso-Viña del Mar como el segundo conglomerado urbano más importante del país. A una gran concentración poblacional, que la transforma en un mercado masivo interesante, Concepción agrega las ventajas comparativas de la zona, en especial la madera y la pesca, claves del auge actual.

Concepción vive así su primer *boom* de las últimas décadas, ya que "se saltó" el de 1980 y 1981, cuando sus empresas sustituidoras de importaciones, como la Compañía de Acero del Pacífico, CAP, Loza Penco y otras, enfrentaron una difícil competencia externa, y las exportaciones madereras y pesqueras permanecieron estancadas.

En aquel lapso, la zona creció a un ritmo muy inferior al promedio nacional.

Hoy sucede todo lo contrario: al auge de las empresas que compiten con las importaciones, se suma el *boom* exportador.

Centenares de empresas y sociedades se crean anualmente en la región, cuyo pago de impuestos saltó del 4% de los impuestos totales pagados en el país en 1982, al 8% en 1986. Los vuelos a Concepción, de Ladeco, y ahora también de LanChile, se llenan de ejecutivos, la mayoría jóvenes, en un intenso tráfico de negocios que se multiplica vertiginosamente. Mientras en 1980 el número de pasajeros transportados entre Santiago y el aeropuerto de Carriel Sur fue de 22.181, en 1986 llegó a 104.268.

Las exportaciones de la Octava Región –que además de la zona de la ciudad de Concepción incluyen también la de las ciudades de Chillán, Los Angeles y Arauco–, representaron en 1986 el 20% del total de las ventas chilenas al exterior, excluidas las del cobre. Por los puertos de la región sale al exterior el 85% de las exportaciones forestales y el 17% de las pesqueras. Este último sector, con inversiones por más de 200 millones de dólares en la última década, es el que muestra mayor dinamismo.

La agricultura de la Octava Región comienza también su despegue definitivo: el número de hectáreas plantadas con espárragos subió en 2.000 por ciento en siete años, en tanto que la frambuesa y el kiwi avanzan a pasos acelerados. La inversión neozelandesa se canaliza a este sector, a través de Anagra-Ñuble y Soprole-Los Angeles, construyendo frigoríficos, empacadoras y otras instalaciones de infraestructura para la exportación.

Curicó

El desarrollo frutícola –con un aumento de 7.000 a 19.000 hectáreas plantadas en diez años– está trayendo prosperidad a esta ciudad de la Séptima Región. Pese a las diferencias de tamaño, Curicó supera a Talca, la capital regional, en sus niveles de comercio, y es señalada por todas las grandes cadenas de venta al consumidor, como una ciudad en que las compras de bienes de consumo durable crecen en forma explosiva.

Debido a que los campesinos, con los mayores ingresos que les proveen las tareas frutícolas, están adquiriendo bicicletas, Curicó, que tiene tradición pedalera, se ha transformado en la zona de Chile con el mayor número de bicicletas por habitante, y es la única ciudad del país que tiene acceso especial para bicicletas desde la carretera longitudinal.

La reactivación de la minería del cobre, a consecuencia de los mejores precios, el desarrollo del litio, el regreso de las salitreras en gloria y majestad, y el fortalecimiento de la industria pesquera, están transformando a Antofagasta en un polo de desarrollo económico.

Con la especial influencia de la minería del cobre y de las remuneraciones pagadas en Chuquicamata, la Segunda Región encabeza el *ranking* de la zona con más altos sueldos en el país, lo que se traduce en un fuerte desarrollo del comercio en Antofagasta, donde se han instalado numerosos supermercados y sucursales de grandes cadenas de tiendas santiaguinas. Se han creado dos Institutos de Salud Previsional regionales, y el número de grandes clínicas de salud saltó de dos, en 1973, a ocho en la actualidad, destacando la moderna Clínica Antofagasta.

Por otra parte, el norte ya no está lejos... El número de personas transportadas a Antofagasta por vía terrestre se multiplicó por 4,6 en los últimos diez años, en tanto que el tráfico aéreo se duplicó. Otra cifra interesante: en 1979 los antofagastinos efectuaron 650.000 llamadas de larga distancia, mientras que actualmente realizan alrededor de 3.000.000 de llamadas al año.

Arica e Iquique

Arica ha experimentado en los últimos años un cambio dramático. La derogación de las franquicias tributarias y exenciones que protegían la supervivencia de la industria electrónica, automotriz y textil, tuvo como efecto el desmantelamiento de inmensos galpones industriales, que permanecieron durante años intactos, con sus maquinarias como piezas de museo. Sin embargo, la ciudad logró reorientar su actividad económica hacia el comercio con los países vecinos, favorecida quizás por dificultades de abastecimiento en Perú, y en especial en Bolivia, que llevaron a empresarios y comerciantes de esos países a iniciar un fluido intercambio con Arica.

Entre 1970 y 1986, la población de Arica aumentó en 77.500 habitantes, lo que equivale a un 83 por ciento. De hecho, la Primera Región es la que ha recibido en los últimos años el mayor flujo migratorio después de Santiago.

Consecuente con el asentamiento de nuevas poblaciones, muestra también el mayor incremento en la creación de nuevos colegios particulares en todo Chile, los que pasaron de 14 en 1978, a 54 en 1985.

Una situación similar vive Iquique, debido al auge de su Zona Franca, lo que se ha traducido también en una mayor disponibilidad de bienes durables importados en relación al resto del país. De acuerdo al censo de 1982, el porcentaje de familias con refrigerador es superior al de todas las otras regiones, ocupando el segundo lugar en la disponibilidad de automóviles –en Iquique ya nadie puede atravesar las calles leyendo el diario, como acostumbraban hacerlo sus habitantes cuando el número de automóviles en circulación era menor– y el tercero en la de televisores.

La Zona Franca de Iquique, ZOFRI, al principio dedicada sólo al comercio de importación, es hoy cuna de importantes industrias exportadoras. Mientras en 1980 sólo el 3% de las personas ocupadas en la ZOFRI estaban ligadas al sector industrial, hoy lo está el 44%.

La Zona Franca ha modificado significativamente la vida de Iquique: hoy se ha transformado en la ciudad con el mayor consumo por habitante de whisky escocés en Chile, en desmedro del vino tinto y del pisco. Numerosas familias coreanas, palestinas, indias y panameñas se han trasladado a vivir a la ciudad, dedicándose al comercio y contribuyendo a darle un cierto aire cosmopolita. Paralelamente, la afluencia de visitantes ha provocado un auge considerable en la vida nocturna, que crece día a día con la llegada de artistas del género frívolo.

La Serena y Temuco

Aunque no logran igualar el empuje de las ciudades mencionadas anteriormente, existen otras zonas del país que constituyen también polos de desarrollo. Es el caso de La Serena y Coquimbo, beneficiadas en los últimos años por las exportaciones frutícolas. El número de cajas de fruta embarcadas por la Cuarta Región pasó de 12.048 en 1983, a más de 5 millones en 1987.

En el mismo período se crearon 7 centros frigoríficos... Antes no había ninguno.

El atractivo turístico de las playas de la zona ha abierto paso a una industria de rápido crecimiento: la disponibilidad de camas de hotel creció en 68% en el mismo lapso.

Otra ciudad grande, Temuco, centro de un significativo desarrollo agrícola, fue importante en el *boom* de 1980. Hoy no muestra el dinamismo de entonces, aunque ha logrado consolidar una situación de privilegio al beneficiarse del auge de la agricultura tradicional, especialmente del trigo, cultivo que en los últimos años ha alcanzado una alta rentabilidad debido al sistema de ''bandas de precios''. Esto ha transformado a la ciudad en un mercado importante para maquinaria agrícola, como trilladoras, cosechadoras y ca-

72

mionetas. El comercio se ha modernizado significativamente con la instalación de grandes cadenas de tiendas –como Falabella– y de sucursales de bancos, financieras y fondos mutuos.

Sin embargo, la excesiva dependencia que la zona tiene de la agricultura tradicional, más la falta de un mayor desarrollo exportador, le han quitado dinamismo en los últimos años.

5. El chileno informado

Durante los últimos años, el volumen de información que manejan los chilenos se ha incrementado considerablemente. Esto se debe a la existencia de programas específicos destinados a aumentar la inversión en ''capital humano'', a la integración con el mundo, que no sólo ha significado un mayor acceso a la información, sino también un incentivo para aprender el idioma necesario para conquistar los mercados mundiales, abaratamiento de las comunicaciones vía satélite, y a los microcomputadores y otros vehículos de la información.

Los años ochenta serán recordados en Chile como la década de los cursos de inglés, de la introducción de los computadores en la enseñanza, del *boom* de los cursos y seminarios, del auge de las becas al exterior y del intensivo aprendizaje de economía a través de los medios de comunicación masivos.

Las inversiones en "capital humano" han dado sus frutos.

De cada 1.000 niños nacidos vivos, 82 morían en 1970, cifra que se ha reducido a 19 en la actualidad, ubicando a Chile en una situación considerablemente mejor que la de Argentina –mortalidad infantil de 36 por mil–, Brasil –70 por mil–, Perú –98 por mil– y el resto de los países latinoamericanos. En estas materias, nuevamente estamos más cerca de Nueva Zelandia y Australia –y de Estados Unidos– que de nuestros vecinos latinoamericanos.

Un chileno vive hoy, en promedio, 68 años, cuatro más que en 1970. Nuestros vecinos peruanos viven en promedio 10 años menos, en tanto que un norteamericano promedio vive 8 años más.

En 1960, como se dijo anteriormente, sólo un 8% de la población de Santiago había terminado el cuarto y último año de la Enseñanza Media, porcentaje que subió al 31% en 1983. A su vez, la población del Gran Santiago con el octavo y último año de la Enseñanza General Básica cumplido pasó de 59%, en 1970, a 80% en 1983.

La apertura de la educación al sector privado ha significado también cambios importantes: el número de alumnos atendidos por colegios particulares subvencionados pasó de 430.000, en 1980, a 850.000 en 1986. Al mismo tiempo, las universidades privadas, centros de formación técnica e institutos profesionales, creados en 1981, cuentan hoy con más de 80.000 alumnos, contra 125.000 de las universidades y centros de educación superior tradicionales, que reciben aporte del Estado.

Cultura económica

Uno de los mayores cambios que se han producido en los últimos años, cuyos efectos resultan visibles, lo constituye el intensivo "aprendizaje de economía" que ha recibido la opinión pública, lo que hace cada vez más difícil la demagogia en este terreno. Aquel pasado en que era posible proponer medidas sin que nadie preguntara cuáles eran los costos, o de dónde se obtendrían los recursos para realizarlas, ya está totalmente superado.

Entre 1975 y 1986, más de 2.000 jóvenes chilenos viajaron a universidades norteamericanas o europeas a obtener un master o un doctorado, de los cuales una importante proporción lo hizo en ciencias relacionadas con la economía o la administración de empresas. El *boom* de las becas al exterior se produjo entre 1978 y 1981, y a él contribuyeron organismos públicos, especialmente la Oficina de Planificación Nacional, Odeplán, a través de un programa que ha puesto a Chile a la cabeza del *ranking* sudamericano de países con el mayor número de personas con estudios de postgrado en Estados Unidos, en proporción al número de sus habitantes.

En el mismo período, a consecuencia de los incentivos tributarios existentes, el Servicio Nacional de Capacitación y Empleo, Sence, aprobó más de 100.000 cursos, la mayoría de ellos relacionados con el ámbito de la economía, la empresa y el mercado laboral.

A la "educación económica" contribuyeron los medios de comunicación, que han debido otorgar "espacio" a los temas económicos en una proporción nunca antes vista en nuestro país. Decenas de miles de personas, la mayoría de ellas relacionadas con el mundo de la empresa y el trabajo, siguen diariamente, en las columnas de la sección "Economía y Negocios", de *El Mercurio*, la evolución del valor de las acciones, las tasas de interés, el precio del cobre y los análisis sobre la marcha de la economía. Asimismo, más de diez publicaciones semanales, quincenales o mensuales abordan, en secciones específicas, el mundo de la economía, las finanzas y los negocios.

leer

El norteamericano John Naisbitt, en su ya citada obra *Megatrends*, señaló que en el futuro los norteamericanos deberían ser trilingües, dominando el español, el inglés y el lenguaje computacional. En Chile, la situación no parece ser muy distinta. El inglés comienza a ser dominado por un número cada vez más grande de personas, incorporándose no sólo con mayor fuerza a los programas escolares, sino que está siendo aprendido por los ejecutivos de empresas que, como consecuencia de la integración con el mundo, requieren salir a vender sus productos al exterior. La "industria del inglés", con institutos, academias y centros de estudios, todos ellos dotados de los más modernos y sofisticados laboratorios de idiomas, ha tenido en los últimos años una expansión considerable. Una simple revisión de las páginas amarillas de la guía telefónica permite observar que el número de entidades que ofrecen cursos de idiomas se ha multiplicado varias veces en los últimos años.

Sin embargo, el mayor impacto sólo se apreciará en el largo plazo, cuando egrese de los liceos y colegios una nueva generación de chilenos cuyos programas de estudio incorporan los idiomas, las matemáticas y la computación en una cantidad muy superior a la tradicional. Un simple análisis histórico de los programas establecidos por el Ministerio de Educación y los actualmente vigentes en los colegios, revela que los niños que egresarán en 1995 habrán recibido, durante sus doce años de permanencia escolar, 1.607 horas más de matemáticas y 2.052 horas más de inglés, en comparación con la generación de sus padres.

El caso de Teleduc

La influencia de la televisión como medio de comunicación masivo continúa creciendo en forma considerable. Además del espectacular aumento en el número de hogares que disponen de un televisor, en 1970 el promedio de transmisiones era de 6,5 horas diarias, en tanto que ahora se extiende a más de 10 horas al día. En el mismo período, el número de estaciones del canal estatal pasó de 33 a 110. Las redes universitarias mantienen 28 estaciones adicionales en el norte y sur de Chile, mientras Santiago cuenta con cinco canales distintos y cuatro en el sistema de televisión por cable. Uno de estos últimos, el Canal 6, transmite ininterrumpidamente noticias, preparadas por periodistas de *El Mercurio*, durante más de cuatro horas todos los días.

La potencialidad educativa del televisor se expresa también en la existencia de un número creciente de programas de carácter cultural, como la transmisión en directo desde el Teatro Municipal de las óperas *Carmen* y *La Traviata*, hecha por el Canal 13, la aparición de un nuevo canal, el 9, especializado en documentales científicos, e incluso a través del dictado de cursos formales, como es el caso del programa Teleduc.

Esta iniciativa del Canal 13 de Televisión, de la Universidad Católica, constituye un "sistema de educación a distancia", con una matrícula superior a los 55 mil alumnos en sus diez años de existencia. La cifra anterior no incluye los numerosos telespectadores que siguen el curso sin matricularse. Pionero en el uso de la computación en la pantalla chica, Teleduc dicta actualmente cursos como "Mercadotecnia", "Comunicación Efectiva" y otros, destinados, según su director, a "dotar a las personas de un bagaje necesario como para que puedan ganarse la vida".

La existencia de dos millones de televisores en los hogares chilenos, representa un cambio significativo que eleva las potencialidades de los niños de hoy muy por sobre las de generaciones anteriores. Un niño chileno de quince años ha destinado ya 10.000 horas de su vida a "extraer" información del televisor, lo que le abre un mundo de conocimientos que sus padres no tuvieron. Los dibujos animados, que ocupan varias horas de programación al día en nuestros canales de televisión, tienen enormes posibilidades didácticas. El sicólogo Radoslav Ivelić, en su estudio *Televisión infantil y dibujos animados,* señala que las "potencialidades de los dibujos animados son inmensas. Pueden servir de entretención o utilizarse en filmes de carácter didáctico. La propaganda los utiliza para concederles un atractivo especial a los productos. También han alcanzado éxito en diversas campañas al servicio del bien común, al identificar un personaje animado con las finalidades propuestas, y es muy significativo que se utilicen, exitosamente, en la terapia de niños con retrasos mentales". Más adelante, el autor se extiende sobre las ventajas y desventajas que representa para los niños haber visto *La abeja Maya, Heidi, He Man,* y muchos otros "monitos".

El boom de los Atari

El actual *boom* de los computadores Atari partió en 1980, cuando ejecutivos de Mellafe y Salas asistieron a una convención, en Estados Unidos, en que se trató el tema de la aplicación de los microcomputadores a la educación.

El referido grupo de ejecutivos comenzó a leer los trabajos del famoso educador Jean Piaget, y las experiencias concretas de países como Inglaterra e Israel, estudiando la "brecha" que se produce entre niños que tienen la posibilidad de desarrollar sus habilidades frente a un computador y aquellos que no la tienen.

Convencidos de la necesidad de aplicar la computación a los niños chilenos, Mellafe y Salas comenzó a desarrollar los llamados Talleres Itinerantes de Computación, llevando los computadores a los colegios para efectuar demostraciones, y otorgando capacitación a los profesores en los Centros Atari. Posteriormente, se obtuvo el apoyo de Ruth Donoso, profesora de matemáticas de la Universidad Católica, quien, adaptando la experiencia inglesa, creó el Proyecto Quimanche, destinado a capacitar a profesores que aprenderían las posibilidades educativas de la microcomputación. Mellafe y Salas equipó un taller con treinta Atari, en el que se ha capacitado hasta ahora a cinco mil profesores, los que se transformaron en los principales propagandistas de las bondades de estos pequeños aparatos. Dejaron de ver a los computadores personales como enemigos, competidores y sustitutos del profesor, para comenzar a verlos como un colaborador y complemento.

Desde entonces, las ventas de Atari se han incrementado a un ritmo espectacular. El año 1983 se vendieron 800 unidades, cifra que se elevó a 1.500 al año siguiente, para saltar a 10.000 en 1985 y a 30.000 en 1986. Es interesante señalar que en 1985 Chile importó el doble de computadores Atari que toda América Latina.

El incremento de las ventas se ha visto ayudado, asímismo, por la fuerte caída en el precio. Mellafe y Salas, a través de Coelsa, vendió, en 1980, los primeros Atari a 1.000

dólares cada uno, en tanto que ahora vende en 120 dólares un computador cuya potencialidad es dos veces la del anterior.

Parte de lo dicho anteriormente también es válido, aunque en menor escala, para computadores personales de otras marcas. Nos hemos referido a la experiencia de Atari, por ser la primera y la más completa hecha en Chile.

Según Ruth Donoso, el computador transforma el proceso de enseñanza aprendizaje en algo entretenido. "El niño despierta la propia creatividad y el interés por desarrollar una idea. Se plantea objetivos, desafíos, y se da cuenta de que es capaz de resolverlos. Es una verdadera herramienta de desarrollo personal". Con el computador, el niño no estudia porque está obligado, sino porque le gusta hacerlo, transformándose así en una verdadero investigador, "buscando siempre algo, pero encontrando. En ese sentido, es un niño aterrizado. Sabe de lo que es capaz y aprende a tomar decisiones", agrega la profesora especialista en computación educacional.

La Pincoya, mejor que el Barrio Alto

En los países desarrollados, la computación está entrando rápidamente en las escuelas. Cifras recientes señalan que más de la mitad de los colegios norteamericanos tiene máquinas informatizadas, en tanto que en Gran Bretaña existe un promedio de nueve por cada liceo secundario. En Chile, el pionero en su utilización fue el Instituto Hebreo, pero actualmente los niños de 500 colegios y escuelas tienen posibilidad de utilizar computadores Atari, con los que se desarrollan diversas experiencias educativas.

Entre ellas, una de las más interesantes es la utilización de microcomputadores por niños con problemas de aprendizaje, como es el caso del Colegio Jacques Trizard, de Santiago. La "ventaja" del computador reside en que éste tiene más "paciencia" que los profesores y acepta repetir todas las veces que sea necesario un ejercicio, hasta que se haga sin errores. Además, al niño no le da vergüenza equivocarse frente a un computador, y puede practicar todo lo que quiera. Hoy son muchos los colegios particulares que utilizan computadores en la enseñanza. En Santiago pueden citarse, entre otros, el Santiago College, La Maisonnette y la Alianza Francesa.

Debido a que las decisiones se toman autónomamente por las municipalidades, actualmente existen computadores Atari en escuelas de Pudahuel, Lo Prado, Conchalí y otras comunas con población de bajos ingresos, generándose incluso situaciones como la estudiada por el profesor Ricardo Blanche, quien descubrió que los niños de la población La Pincoya son varias veces más creativos, frente al computador Atari, que niños de la misma edad pertenecientes a comunas de altos ingresos. La experiencia se realizó luego que la Municipalidad de Conchalí adquirió 29 Atari, los que utilizó en escuelas de La Pincoya. Según el estudio, gracias al uso del computador, la agresividad de los niños y jóvenes baja significativamente. Asimismo, la asociación entre un niño de La Pincoya y un Atari es varias veces superior a la relación y creatividad que se logra entre el mismo Atari y un niño de Las Condes o Providencia. ¿Por qué?

Porque, comparado con los de La Pincoya, un niño del Barrio Alto de 6 años de edad, es una ''guagua'' a la que sus padres o empleadas cuidan, visten, le dan alimentación y le organizan o compran juegos. Un niño de 6 años de La Pincoya, en cambio, en la mayoría de los casos debe buscar fórmulas para procurarse su propio alimento, además de vestirse solo y resolver sus problemas diarios. Esto lo hace varias veces más creativo.

Comienzan a aparecer también los primeros "niños genios chilenos". Así, por ejemplo, en 1984, el hijo de 14 años de un empleado de la IBM, utilizando un Atari, inventó un programa equivalente al de Mac Intosh.

Exportando inteligencia

La situación de Chile, transformado en el país con mayor relación de computadores por alumno en Latinoamérica, lo ha llevado ahora a encabezar también el proceso de elaboración de *software*, es decir, de programas de computación educacional. En un principio, los profesores capacitados por Mellafe y Salas, en conjunto con programadores de computación, diseñaban sus propios programas, pero posteriormente crearon empresas especializadas en *software* educacional. Es el caso de Telemática S.A., formada por un grupo de ingenieros jóvenes que trabajan con psicopedagogos. Los programas, en venta en el comercio, fueron adquiridos también por Mellafe y Salas, empresa que los utilizó en los Atari. Actualmente existen *softwares*, para todos los cursos y materias desde el primer año de la Enseñanza General Básica hasta el último de la Enseñanza Media, y se ha iniciado su exportación a México, Argentina, Venezuela y Colombia. Chile mantiene el liderazgo latinoamericano en producción de *softwares*, situación que llevó a la Atari-EE.UU. a solicitar a todos sus distribuidores en América Latina que vinieran a observar la experiencia chilena para aplicarla después en el resto de los países.

Hace pocos meses, un número significativo de profesores exonerados de las escuelas municipalizadas, fue contratado por Edumática, empresa que ofrece a las escuelas el arriendo de aulas computarizadas, dando atención completa a los alumnos en cuanto a computadores, programas y profesores, con un pago de 620 a 950 pesos mensuales por niño.

Según Ruth Donoso, "cuando tengamos preparados el 40 por ciento de los profesores y logremos tener suficientes equipos en los colegios, Chile será un país distinto". En cierta medida, ya lo es.

Treinta y tres millones de libros

Desde 1983 en adelante, el número de libros existente en los hogares chilenos se incrementó significativamente. El auge del libro se aprecia en el aumento del número de títulos editados en el país, que pasó de 954 en 1981 a 2.126 en 1986. El interés creciente por participar y visitar las diversas ferias de libros que ahora se realizan, constituye otro indicador del fenómeno. Pero, sin duda que el hecho más trascendente de los últimos años en este aspecto lo constituye la posibilidad de adquisición masiva de libros que se venden conjuntamente con revistas.

La sorprendente historia de este fenómeno, que ha llevado a los hogares chilenos 33 millones de libros en cuatro años, tuvo su punto de partida el 13 de enero de 1983, cuando la revista *Ercilla*, entonces perteneciente al grupo de Manuel Cruzat, intervenido con esa fecha, enfrentaba una difícil situación económica. *Ercilla* entregaba, junto a la revista, fascículos cuyas películas para ser reproducidos se adquirían en el extranjero. La escasez de dólares, sin embargo, llevó a sus ejecutivos a pensar en la alternativa de reproducir libros de autores chilenos. Evaluados los costos, *Ercilla* anunció que junto con adquirir la revista, los lectores obtenían gratis

Martín Rivas, novela de Alberto Blest Gana (1830-1920), libro que con el tiempo, al ser también entregado después por la revista *Vea*, se transformó en el mayor éxito de ventas de este singular mercado, siendo adquirido por 414.017 personas.

Entre marzo de 1983 y agosto de 1987, las revistas *Ercilla* y *Vea* han vendido 32.322.000 libros, entre clásicos, cursos de inglés, diccionarios, Historias de Chile y otros sobre diversos temas. Las cifras resultan sorprendentes:

En diferentes momentos, *Ercilla* y *Vea* ofrecieron a sus lectores tres diccionarios, vendidos en colecciones con entregas de un tomo por semana. Las ventas sumaron 5.063.080 tomos, en total, del *Diccionario Enciclopédico Espasa-Calpe*, del *Diccionario para Niños* y del *Diccionario Larousse*.

74.000 familias adquirieron la colección completa, compuesta de 31 tomos, de la *Historia Universal* de Carl Grimberg.

La *Historia de Chile*, de Francisco Encina, ofrecida por *Ercilla* en 37 tomos, vendió un total de 5.817.951 libros, en tanto que 132.227 hogares chilenos tienen hoy la colección completa.

Entre los libros más conocidos, todos los cuales son requeridos por los estudiantes para sus cursos de Enseñanza Media, es interesante señalar que el segundo lugar, luego de *Martín Rivas*, lo ocupa *Poema de Mio Cid*, con 273.000 ejemplares vendidos. Le sigue *Fuenteovejuna*, con 237.750.

Contrariamente a lo pensado en un principio, el fenómeno de "los libros regalados en las revistas" se tradujo en un aumento de las ventas a través de librerías, lo que hizo que *Ercilla* recibiera un premio de la Cámara del Libro por su labor de difusión. A la iniciativa de *Ercilla* se sumó la de otras editoriales –Editorial Portada, Empresa Editora Zig-Zag, Editorial Andina–, con lo que la cantidad de libros vendidos entre 1983 y hoy aumenta en varios millones. En todo caso, es evidente que las decenas de millones de libros adquiridos bajo este sistema constituyen una ''inversión'', y no han sido comprados para ser leídos de inmediato, sino como material de consulta al que se acude cuando sea necesario. Es el caso de los diccionarios, de los libros de Historia y de los autores clásicos que se exigen a los estudiantes de Enseñanza Media.

"Disco de Oro" para Beethoven

En los últimos meses, la adquisición de cultura mediante las revistas se trasladó de la literatura a la música. A muchos les parecerá sorprendente saber que este año 200.000 familias chilenas han recibido la *Quinta Sinfonía*, de Beethoven, a través de la cassette que obtuvieron al comprar la revista *Ercilla*. Teniendo en cuenta que los sellos discográficos otorgan la distinción "Disco de Oro" al intérprete o compositor que vende 10.000 discos, puede afirmarse que los chilenos han hecho a Beethoven acreedor a 20 ''Discos de oro'' durante este año. ¿Habrá alguien que todavía sostenga que en Chile hay un ''apagón cultural''?

El *Curso de Inglés de la BBC de Londres*, entregado en sucesivos cassettes por la revista *Vea*, se constituyó también en un éxito de ventas. La clase número 1 fue adquirida por 150.000 personas, en tanto que 70.000 continuaron comprando hasta tener el curso completo.

Como muchas de las ideas desarrolladas por el sector privado chileno, el regalo de libros y cassettes junto con las revistas, constituye hoy un producto de exportación. En

1985, una empresa nacional, formada por un grupo de "creativos" que se han especializado en este rubro, decidió aprovechar la experiencia ganada en Chile en diversos países de Latinoamérica, en todos los cuales el mecanismo constituye una novedad completa. Ese año obtuvieron el primer éxito, cuando una revista argentina logró un record de ventas regalando por tomos el *Diccionario Larousse*. Luego entraron en el mercado peruano, a través de la revista *Gente*, con tal éxito que el Presidente Alan García citó a los ejecutivos de la publicación al palacio presidencial para felicitarlos personalmente por el aporte a la cultura que significaba difundir masivamente libros, cursos y diccionarios, algo que en Chile, donde a estas alturas se han entregado más de 33 millones de libros y 1 millón de cassettes, casi no llama la atención de nadie.

6. La Empresa eficiente

La empresa chilena ya no es la misma de antes. En la última década, enfrentada a una fuerte competencia, tanto interna como con corporaciones extranjeras, ha sufrido profundas transformaciones cuyo objetivo es uno sólo: ser eficiente. Fabricar más productos, y de mejor calidad, a un precio adecuado para que los consumidores los compren.

El imperativo de la eficiencia, agudizado por la experiencia que significa pasar en muy poco tiempo de una economía cerrada al mundo a otra integrada a éste, de la recesión al *boom*, y luego otra vez a la recesión, para culminar en una nueva recuperación, ha dejado en la empresa chilena una huella profunda de cambios de mentalidad –tanto en los empresarios como en los trabajadores–, de modernización y de capacidad para competir de igual a igual con grandes corporaciones internacionales en la conquista de los mercados del mundo. Las "multinacionales chilenas" son hoy una realidad.

La división de las empresas en filiales, la formación de *holdings*, la incursión en nuevos negocios, la subcontratación de múltiples servicios, los cambios formales en las oficinas, constituyen tendencias hoy afianzadas en la empresa chilena. Al mismo tiempo, fenómenos como el de los trabajadores accionistas y el capitalismo popular –que están terminando por borrar las fronteras de la propiedad entre accionistas, ejecutivos y trabajadores–, van mucho más allá de lo que señala un mero análisis superficial.

El resurgimiento del espíritu empresarial entre la juventud es un hecho indiscutido. Ser empresario es ahora un objetivo buscado por más de dos mil jóvenes que se han reunido en los últimos dos años, en diferentes seminarios, en Santiago y en algunas Regiones, para escuchar a personas que se atrevieron a dejar de ser empleados para crear su propia actividad. Se fundó la Asociación de Empresarios Jóvenes, en tanto que se multiplican los concursos de ''ideas de proyectos'', en que el primer premio consiste en el financiamiento para llevar a cabo la iniciativa. Recientemente surgió, además, el primer "fondo de capital de riesgo", dispuesto a entregar dinero para desarrollar las "ideas brillantes" de aspirantes a empresarios, buscando repetir el éxito que financistas norteamericanos tuvieron con Steve Jobs, de Apple, y otros jóvenes cuya "idea" dio origen a empresas de billones de dólares.

Por sobre todo, los empresarios han vuelto a ser líderes: son invitados frecuentemente a programas de televisión, escriben columnas en la prensa e, incluso, emulando al famoso Lee Iacocca, comienzan a aparecer en los *spots* publicitarios.

¿Dónde están los costos y los beneficios?

La búsqueda desesperada de la eficiencia ha llevado a las empresas a "repensar" su quehacer, e incluso a modificar su organización, para identificar en forma exacta dónde están los costos y beneficios en cada una de las etapas del proceso productivo.

En una empresa existen, generalmente, varias fases distintas: la producción, la venta, la distribución, el transporte y muchas otras. Cada una de ellas requiere de talentos diferentes, y se hace cada vez más especializada.

Además, cada etapa del negocio debe justificarse en sí misma, para lograr una mayor eficiencia. El Banco de Chile está haciendo actualmente un estudio para evaluar cada sucursal, a lo largo del país, y cada producto dentro de ellas, detectando dónde están los costos y beneficios. Esto va a permitirle saber si está ganando dinero en las cuentas corrientes de la sucursal Temuco, o perdiendo en las libretas de ahorro de la sucursal Chillán, con lo que podrá hacer las correcciones y ajustes necesarios.

La descentralización –que permite delegar y asignar responsabilidades más específicas–, que ha tomado muchas veces la forma de división de la empresa en filiales diferentes coordinadas a través de un organismo central denominado *holding*, constituye la principal tendencia en la búsqueda de disminuir costos o aumentar las esquivas utilidades.

La Empresa Nacional del Petróleo, Enap, se dividió en tres entidades diferentes: Enap-Central, Petrox y Concón. Sólo después de que hubo en Petrox –la refinería de petróleo de Talcahuano– un directorio independiente cuya preocupación central era el resultado de la empresa, existieron los incentivos suficientes para renegociar un millonario contrato que ésta tenía con una empresa extranjera, y que le producía serias pérdidas. Hasta antes de la "filialización", permanecía como un "costo oculto", tapado por el manto de las cuantiosas utilidades de Enap-Magallanes.

La Compañía de Acero del Pacífico, Cap, es hoy un

grupo de ocho empresas privadas. Reemplazando una organización burocrática por esquemas flexibles orientados a una administración por objetivos, se redefinió en 1981 como Cap S.A. de Inversiones, donde una unidad matriz dirige y administra los recursos generados por las diferentes empresas y decide sobre el futuro del grupo. Este incluye Huachipato, Manganesos Atacama, Acero Comercial y otras cuatro empresas.

El cambio en la Compañía Chilena de Electricidad constituye también una revolución. Al interior de la empresa existían negocios absolutamente diferentes: la distribución eléctrica constituye un negocio de minoristas, en tanto que la generación de energía lo es de mayoristas. Las distintas funciones dieron origen a empresas diferentes: Chilectra Generación, Chilectra Metropolitana y Chilectra Quinta Región. Los problemas ocultos durante años emergieron rápidamente: como Chilectra tenía una tarifa única, independiente de si el cliente estaba cerca o lejos de la fuente de energía, los consumidores del sur "subsidiaban" a los del norte, ya que es obviamente más caro suministrar energía eléctrica en esa zona. Hoy es ya un problema superado.

Y en la mayoría de las empresas la tendencia continúa: Lucchetti formó Comercial Lucchetti, Italpasta y Comercial Agromaule. Viña Concha y Toro se dividió, separando la comercializadora de vinos de una nueva empresa que enfatizará el desarrollo frutícola. La Compañía Chilena de Tabacos, Chiletabacos, se transformó en un grupo de diversas compañías encabezadas por Empresas CCT.

Luego de la "filialización", cada una de las empresas, con su propio directorio y gerente, comienza a expandir sus actividades ofreciendo servicios a terceros interesados.

La Sociedad Química y Minera de Chile, Soquimich,

recién privatizada y con más agilidad, creó
Puerto de Tocopilla, Maestranzas y Ventas Nacı
hoy son sociedades independientes y antes eran sub
de la empresa. Todas están buscando negocios prop
cionados con su actividad. Ventas Nacionales importa
zantes complementarios al salitre. El puerto de Tocь ла
–que posee el brazo mecanizado de carguío más moderno de
Chile– estaba subutilizado: sólo se usaba en un 30% de su
capacidad. Ahora la empresa tiene un gerente general y un
gerente de ventas propio que están buscando negocios por-
tuarios de todo tipo.

La agilización de los grandes monstruos

Las grandes empresas, en lo que parece ser una lección
de la reciente recesión, han comenzado a diversificar sus
actividades en distintas áreas, para no depender de un solo
producto.

La Shell Chile, dedicada hasta hace poco sólo al negocio
de los combustibles y lubricantes, entró en el de la minería a
través de la compra del yacimiento de oro y plata Choquelimpie, y ya está en el campo forestal, con Forestal Copihue.

La Cap invirtió 15 millones de dólares en el mercado de la
madera adquiriendo el 40% de la empresa aserradera Suizo–
Andina. Recientemente incursionó en el rubro inmobiliario.

Tal como Copec, Esso Chile entró en el negocio de los
supermercados, con Servacar, empresa creada para tal efecto.

Chiletabacos, ante la caída del mercado mundial de
cigarrillos, ingresó en el sector alimentario . Luego de formar
Evercrisp Snack Productos de Chile, con empresarios austra-
lianos, compró Agroindustrial Malloa, la empresa exportadora de conservas más grande de Sudamérica.

Al "repensar" su quehacer, las empresas comenzaron a descubrir que la autosuficiencia puede no ser lo más conveniente. ¿Por qué tener sus propios jardineros o aseadores, si empresas especializadas pueden encargarse del mismo trabajo a más bajo costo? ¿Por qué preocuparse de flotas de camiones, repuestos y taller mecánico, si el transporte puede ser subcontratado a otra empresa?

La tendencia creciente a subcontratar diferentes servicios, redujo costos y creó espacios para el surgimiento de cientos de nuevas empresas, muchas de ellas pequeñas, dedicadas al aseo, el ornato, el casino, el mantenimiento, el transporte, la vigilancia –una empresa especializada en fabricar uniformes azules para vigilantes ha triplicado sus ventas en los últimos dos años– y diversas otras funciones.

¿Sabía usted que Aquiles Velásquez Limitada, junto a otras dos empresas, visitan diariamente 45.000 casas en el Gran Santiago para leer los medidores de electricidad? Chilectra Metropolitana rebajó a un tercio el costo que le significaba la lectura de medidores y el reparto de boletas a sus cientos de miles de clientes, luego de licitar el servicio a tres empresas privadas.

Asimismo, para atender las emergencias, instalaciones y reparaciones, Chilectra contrató 350 camionetas y furgones utilitarios pertenecientes a 320 empresarios-choferes. Esto le permitió vender sus camionetas y terminar con el garaje que se utilizaba para repararlas, en el que trabajaban 130 personas que fueron reabsorbidas en otras áreas en expansión de la compañía.

Dentro de esta política de traspasar servicios a terceros, la Sociedad Química y Minera de Chile, Soquimich, también se deshizo de su gran parque de camiones. El transporte del mineral de las salitreras al ferrocarril quedó a cargo de la empresa privada Mobitec, con lo cual se logró un servicio más eficaz.

Hasta hace algunos años, en cada estación de Ferrocarriles del Estado había una bodega de Soquimich, con un total de sesenta en todo el país. Se adoptó la decisión de eliminar las bodegas, entregando la distribución del salitre a empresas privadas comercializadoras. Hoy Soquimich no vende nada directamente, pero las ventas de salitre se triplicaron y se operan en base a 208 bodegas en todo Chile.

El Hogar de Cristo, manejado con criterios de eficiencia con el objeto de ahorrar recursos para sus fines benéficos, decidió desmantelar su lavandería y subcontratar el servicio de lavado de ropas de las hospederías.

La subcontratación abarca cada vez nuevas áreas. La mayoría de las grandes compañías ya no tiene cocina ni cocineros, sino sólo hornos microondas donde calientan los platos preparados al "estilo avión" por modernas empresas elaboradoras de alimentos, que distribuyen miles de raciones al día. También se subcontratan los estudios de mercado, las encuestas, las evaluaciones de proyectos, y la selección de personal ejecutivo, encargada a empresas especializadas. Como una novedad de los últimos meses, empresas como Carozzi, Lucchetti y Mac Kay han encargado a consultoras la selección de operarios, diseñándose los primeros tests sicológicos masivos para ser aplicados a los postulantes.

Propiedad: se borran las fronteras

La estricta separación entre accionistas, ejecutivos y trabajadores está borrándose lentamente. A través de ingeniosos mecanismos, en el Chile de hoy miles de trabajadores han pasado a ser accionistas de las empresas en que trabajan, en tanto que comienzan a adoptarse prácticas, existentes en Estados Unidos, que dan participación a los ejecutivos en la propiedad a través de premios en acciones.

En la empresa frutícola David del Curto, los ejecutivos que se estima que pueden hacer una importante carrera en la compañía, son invitados a participar como socios en empresas anexas. Este es el caso de Valle Dorado –dedicada a los parronales en Copiapó–, cuyos dueños son los ejecutivos de David Del Curto.

Diversas empresas otorgan a sus ejecutivos participación de utilidades.

Pesquera Coloso, a su vez, estudia la posibilidad de dar a su plana mayor participación accionaria, como parte de la remuneración anual.

Se observa también una creciente tendencia a establecer mecanismos de sueldos en que se incentive el cumplimiento de determinadas metas.

En Unisys y en NCR de Chile, por ejemplo, se dan premios de hasta un 20% de la remuneración anual para los ejecutivos, si se cumplen ciertas metas, como aumentar las utilidades en determinado porcentaje o lograr cierta penetración de mercado.

Pizarreño diseñó un sistema único en Chile, en que las remuneraciones están atadas a las ventas, lo que ha traído como efecto lateral una mucho mejor atención al cliente.

Un nuevo fenómeno –al que ya nos hemos referido de paso– está incidiendo en la transformación de la Empresa: el capitalismo popular. En los últimos dos años, miles de personas han adquirido acciones de bancos, administradoras de fondos de pensiones y empresas públicas en proceso de privatización, a través de programas especiales que incluyen créditos e incentivos tributarios. El número de accionistas del Banco de Chile pasó de 17.700 a 40.000; en tanto que en el Banco de Santiago, el número de accionistas se multiplicó por mil, al saltar de 15 a 15.871. Los dueños de acciones de las diez mayores administradoras de fondos de pensiones aumentaron de 17.396 a 76.783, incidiendo especialmente en ello los casos de Provida y Santa María. Empresas recién privatizadas, como Iansa –con 19.000 accionistas–, Chilectra Metropolitana –con 7.200–, y Cap –con 7.600–, experimentan también una explosión de propietarios.

Entre otros efectos, el fenómeno está dando origen en Chile a las primeras grandes corporaciones al estilo norteamericano. Formadas por miles de pequeños accionistas, la propiedad diluida hace que ninguno de ellos tenga suficiente poder de control, por lo que son manejadas de hecho por su plana ejecutiva. Las elecciones de directorio del Banco de Chile constituyeron la votación masiva más numerosa ocurrida con posterioridad al plebiscito de 1980, con una verdadera campaña electoral en que los candidatos reclutaron votantes a través de la prensa y la televisión.

Las empresas con "capitalistas populares" tienden a dar primera prioridad al reparto de dividendos, y están obligadas a definir anualmente una política de dividendos estable y conocida con anticipación.

97

Sin duda, el cambio más trascendente, por sus efectos y proyecciones que van mucho más allá de la propia empresa, lo constituye el hecho de que alrededor de 25.000 trabajadores han adquirido acciones de la compañía en que trabajan. Alrededor de 4.500 trabajadores-accionistas de Soquimich son dueños de más del 12% de la empresa. Más de 3.200 trabajadores poseen el 31% de la Compañía de Acero del Pacífico. Los trabajadores son también propietarios del 100% de la Empresa de Computación, Ecom; del 27% de Chilectra Metropolitana, y de varias otras empresas, la mayoría recién privatizadas. El caso más reciente es el de la Empresa Nacional de Electricidad, Endesa, la sociedad anónima con mayor patrimonio en el país, que está siendo objeto de una privatización masiva, con campañas publicitarias y puntos de venta de acciones a lo largo de todo el territorio nacional. El 97% de los trabajadores de Endesa adquirió el 6% de la compañía, destinando a ello el anticipo de hasta un 100% de sus fondos de indemnización.

A fines de 1986, la plana ejecutiva de Soquimich puso en marcha el "Plan Cachucho 7" –nombre que alude a las seis piscinas de lixiviación, denominadas "cachucho", que tiene la empresa–, destinado a informar y convencer a los trabajadores de las salitreras de las ventajas de comprar acciones. A través de propaganda radial y asambleas masivas en las salitreras de María Elena y Pedro de Valdivia, se decidió crear la sociedad Pampa Calichera, formada por el 97% de los trabajadores y ejecutivos de Soquimich, la que obtuvo un crédito bancario para comprar títulos de la empresa.

Desde hace algunos años, el convenio colectivo suscrito por Soquimich y sus trabajadores señalaba que la gratificación se pagaría en acciones, las que fueron aportadas para enterar el capital de Pampa Calichera. Esta sociedad logró obtener un préstamo de un grupo de bancos, que le permitió adquirir el 8,5% de Soquimich, dejando las acciones en garantía. El préstamo será pagado con los dividendos que otorgue Soquimich a sus accionistas, y se estima que ello puede ocurrir fácilmente si la empresa obtiene utilidades anuales de al menos 20 millones de dólares, lo que ha sucedido en los últimos años.

Cada trabajador de Soquimich recibe trimestralmente una cartola individual computarizada, en la que se le informa de la evolución de su patrimonio en la sociedad Pampa Calichera, con el monto de la deuda, los pagos efectuados y el valor del patrimonio según el precio de la acción. Si se tiene en cuenta la significativa alza que han experimentado las acciones de Soquimich, el patrimonio que posee hoy cada trabajador-accionista equivale al monto de un desahucio correspondiente a treinta años de trabajo en la empresa.

Debido a su lejanía de los centros bursátiles, en las salitreras se ha creado una verdadera bolsa interna, mediante una comisión que sesiona cada quince días, a la que acuden tanto los trabajadores que quieren vender sus acciones como los que desean adquirir otras.

En Chilectra Metropolitana el proceso comenzó de diferente forma. De acuerdo con la legislación que lo permite, en etapas sucesivas se adelantó a los trabajadores hasta el 90% de la indemnización si la destinaban a comprar acciones. La oferta resultó irresistible: si al momento de retirarse de la compañía, el patrimonio accionario del trabajador resultaba inferior al monto de la indemnización que le habría correspondido si hubiera decidido no comprar acciones, la empresa pondría la diferencia.

Mediante esta fórmula, los trabajadores adquirieron el 9% de Chilectra Metropolitana, de lo que no están en absoluto arrepentidos, teniendo en cuenta que el reparto de dividendos les ha significado el equivalente a 1,8 remuneraciones al año.

En vista del éxito, trabajadores y ejecutivos decidieron formar dos sociedades con nombres relacionados con la electricidad: Chispita 1 y Chispita 2. La primera agrupa a todos los empleados cuyos apellidos empiezan con letras desde la A hasta la M, y la segunda a los restantes. Las Chispitas –que son administradas, según decisión de los trabajadores, por los propios ejecutivos de la empresa– obtuvieron un crédito bancario para comprar otro 20% de Chilectra Metropolitana.

Teléfono rojo y diarios murales

El capitalismo popular y la existencia de 30.000 trabajadores-accionistas han transformado a la información bursátil en un producto masivo –incluso dio origen a un programa de televisión que transmite las transacciones "en vivo y en directo" desde la rueda de la Bolsa de Comercio de Santiago–, haciendo surgir un creciente interés por conocer la situación de las empresas y su efecto sobre el precio de las acciones.

En la oficina central de Chilectra Metropolitana se habilitó una sala especial con un terminal de computador para observar la evolución de los precios. La sala posee también un "teléfono rojo", comunicado directamente con la Bolsa, a través del cual los trabajadores pueden efectuar sus propias transacciones.

En los diarios murales que mantienen diversas secciones de la empresa, pueden verse pequeños carteles con comunicaciones como las siguientes: "Compro 100 acciones, tratar con…", o "Vendo 50 acciones, hablar con …".

Desde que son accionistas, hay una creciente conciencia entre los empleados de Chilectra Metropolitana por reducir los costos y eliminar gastos superfluos, ya que –por su impacto sobre los dividendos– perciben con mayor claridad la necesidad de que la empresa obtenga utilidades. Los trabajadores pidieron que la compañía les entregara un formulario especial, para poder efectuar las denuncias cuando sorprendan a personas que están conectadas fraudulentamente al tendido eléctrico.

En la oficina salitrera de María Elena, los pampinos observan en el diario mural el resumen semanal con la evolución de las acciones en la Bolsa que publica "Economía y Negocios", de *El Mercurio*. Una actitud que hace un tiempo nadie se habría atrevido a pronosticar…

El ocaso del "Cuesco Cabrera"

Pero en el interior de las empresas están ocurriendo otros muchos cambios, especialmente a nivel ejecutivo. Por sobre el elevado nivel de preparación –en que destaca el alto número de gerentes que han seguido estudios de postgrado en Administración de Empresa o Economía en universidades norteamericanas–, la reciente recesión afectó la edad a la que se llega hoy a los cargos *top* de una organización.

Según empresas consultoras especializadas en la contratación de ejecutivos, hasta 1981 se exigía, para cargos gerenciales importantes, una edad máxima de 35 años. Ahora, las empresas tienden a contratar ejecutivos de al menos 40 años, valorando la experiencia más que la formación. Lo que interesa no es "qué ha estudiado, sino qué ha hecho". La rápida carrera del ejecutivo joven y brillante que ascendía meteóricamente llegó a su fin. La recesión sepultó al "Cuesco Cabrera".

Actualmente, además, las empresas están dando más importancia a la formación de sus propios cuadros ejecutivos. Contratan a jóvenes recién egresados de la universidad, que no llegan a desempeñar un cargo específico, sino que a realizar labores temporales en diferentes áreas de la organización, sin encasillarse antes de conocer su total funcionamiento. Según una consultora, ahora "la gente no llega a un cargo, sino que llega a una empresa".

Este es el esquema que aplican compañías como Shell, Cap, Esso, y en estos momentos un Banco, que contrató recientemente a veinte ingenieros comerciales a los que puso como asistentes –verdaderos "jefes de gabinete"– de cada uno de los gerentes. Les ayudan en la preparación de minutas para las reuniones, consiguen información, efectúan cálculos, responden correspondencia y se familiarizan con las labores propias del trabajo ejecutivo, rotando luego en las diferentes áreas.

En materia de gerentes, la necesidad de simplificar las organizaciones para descentralizarlas y hacerlas menos burocráticas y más eficientes, ha llevado a acortar los niveles de mando. La frondosa pirámide de jefes de sección, subgerentes, gerentes, gerentes de área, directores de departamento, etc., está desapareciendo en pos de la simplicidad.

Las áreas gerenciales más relevantes han experimentado un cambio. Hasta antes de la integración con el mundo, el énfasis estaba puesto en la producción –"todo lo que se producía se vendía"–, pero luego la recesión transformó a la gerencia de finanzas en la "estrella". Hoy la orientación hacia el consumidor pone al gerente de ventas en la primera línea de fuego.

También se han fortalecido las áreas de informática y de comercio exterior. La competencia internacional ha obligado a los ejecutivos a tomar cursos intensivos de inglés y a viajar para vender sus productos, asistiendo a ferias internacionales para conquistar mercados o buscar nuevas tecnologías. Se han creado nuevos cargos. Entre ellos, uno que a más de alguien moverá a esbozar una sonrisa: una importante empresa frutera creó la gerencia de "peras y manzanas". Aunque la tarjeta de presentación parece no "vestir" mucho en Chile, el "gerente de peras y manzanas" viaja por Estados Unidos, Europa y el Medio Oriente, representando a un país que es líder en las exportaciones de ambos productos. Posiblemente no nos llamaría la atención el cargo de "gerente de productos de cobre", porque –aunque en el mercado mundial de la fruta somos tan importantes como en el mercado mundial del cobre– todavía no nos acostumbramos al profundo cambio estructural que estamos viviendo.

Las nuevas oficinas

Los cambios alcanzan incluso a la apariencia formal de las oficinas.

Adoptando una moda norteamericana, cuyo principal objetivo es ahorrar costos y mejorar, al mismo tiempo, la comunicación entre las personas, las empresas chilenas están terminando rápidamente con las oficinas privadas, utilizando espacios subdivididos por paneles. Las secretarias individuales son hoy un "lujo", siendo reemplazadas por secretarias "compartidas" entre varios gerentes, o por un *pool* que

103

centraliza las labores de mecanografiar informes, memos, documentos y correspondencia, fotocopiar, etc..

La Compañía de Acero del Pacífico, el Banco de Santiago, Citibank y Chiletabacos, entre otras empresas, reemplazaron las oficinas privadas por grandes extensiones alfombradas subdivididas por paneles. Según los expertos, se trata de un cambio que está siendo impuesto a la fuerza, ya que los ejecutivos chilenos se resisten a perder *status* y privacidad. Hay un ejemplo que nos resulta casi increíble: consecuente con el modelo japonés, el presidente de Toyota-Chile comparte la misma oficina con el vicepresidente –también japonés– y su secretaria. Tres escritorios, uno al lado del otro.

La mayor flexibilidad en la organización, traducida incluso en cambios formales en la apariencia de las oficinas, también se relaciona con el nuevo rol del gerente general. Éste ya no es un personaje que "da órdenes" jerárquicamente desde su oficina. No, el gerente general es ahora un "gran facilitador". Es la persona capaz de reconocer a sus empleados más innovadores y creativos –llamados "intraempresarios"–, y de ponerse a su disposición para entregarles los elementos que les permitan llevar a buen término sus proyectos. Esto ha transformado la imagen del "nuevo gerente" en la de un personaje que, en mangas de camisa, recorre los pasillos relacionándose cada vez más con su personal.

La creciente valorización del profesional chileno, avalado por el prestigio de las universidades, los estudios de postgrado en el exterior, y la realidad práctica de la Empresa en nuestro país, está llevando a compañías extranjeras a arriesgar sus dineros siempre y cuando logren conseguir un grupo de ejecutivos nacionales que puedan administrar dichas inversiones. El Bankers Trust adquirió la central hidroeléctrica Pilmaiquén luego de llegar a acuerdos con un grupo de profesionales chilenos para que la manejara, involucrándolos también en el negocio con riesgos personales. El Banesto, de España, compró la Compañía Industrial, Indus, pero entregó todo su manejo y administración a un grupo de profesionales chilenos en el cual confió.

Multinacionales chilenas

La integración con el mundo y el consiguiente acceso a tecnología más moderna, ha hecho que Chile lleve hoy, con respecto a nuestros vecinos latinoamericanos, la delantera en diferentes rubros. Esta situación ha sido aprovechada por diversas empresas, la mayoría de ellas orientadas al sector servicios y lideradas por jóvenes ejecutivos, las que comienzan a expandir sus actividades al exterior, dando lugar a verdaderas "multinacionales chilenas", con intereses en Argentina, Perú, Brasil, Bolivia y en otros países.

La Sociedad Nacional de Procesamiento de Datos, Sonda, creada por un grupo de ingenieros jóvenes encabezado por Andrés Navarro, se ha transformado en la empresa de computación más grande de Sudamérica, superando desde hace dos años a la brasileña Elebra. En 1984, decidió incursionar en los vecinos mercados de Argentina y Perú, aprovechando el atraso computacional en que se encuentran esos países en relación a Chile. Con 120 personas en sus oficinas de Buenos Aires, Sonda ofrece "poner en línea" a los bancos transandinos, vendiendo programas que ya la mayoría de los bancos chilenos utiliza. En Perú, luego de la estatización de la banca, el mercado para Sonda se ha complicado. Pero un fracaso alienta nuevos éxitos: actualmente Sonda, en asociación con una empresa de computación del Estado de Washington, en Estados Unidos, postula a uno de los más gigantescos proyectos bancarios de los últimos tiempos: introducir el sistema de la "banca en línea" en el Banco de la República Popular China, que tiene cien mil sucursales. Gane o pierda la licitación, hay un hecho curioso que vale la pena destacar: Sonda desarrolló un programa de *software* que ya fue traducido a caracteres chinos, los que aparecen en la pantalla representando el trabajo de un grupo de ingenieros chilenos.

Hipermercados Jumbo, de gran éxito en Argentina, se apronta a construir un segundo local en Buenos Aires.

Lord Cochrane se ha transformado en una de las editoriales líderes en América Latina. Además de lanzar la revista *Paula* argentina, la editorial imprime cerca de la mitad de las revistas que circulan en ese país. Es el caso, entre otras, de *Muy Interesante*, *Viva*, *Disneylandia*, *Mickey*, *Pato Donald*, *Tío Rico*, *First*, *Superfútbol*, y hasta *Playboy*, cuya circulación en Chile está prohibida, aunque se la fabrica aquí y luego se la exporta a Argentina. Como se indicó anteriormente, la iniciativa criolla de vender revistas que regalan libros y cassettes, está siendo introducida en Perú y Argentina por la misma empresa chilena que realizó dicho proyecto en Chile.

7. El Gobierno se acerca

La necesidad de ser eficiente ha obligado al Gobierno a "acercar" sus decisiones a las personas afectadas, agilizando a gigantescos monstruos burocráticos cuyo proceso de toma de decisiones resultaba más lento, con el consiguiente costo de tiempo para las personas afectadas.

Grupos de ingenieros jóvenes, muchos de ellos expertos en técnicas de computación, alcanzaron los más altos cargos de diversas agencias gubernamentales, provocando cambios que, aunque resistidos en su inicio por el peso de la tradición, terminaron por imponerse con fuerza arrolladora. La transformación más visible correspondió a los organismos caracterizados por la atención de público, donde las largas colas y las tramitaciones formaban parte de la vida diaria.

Desempapelamiento del ciudadano

Juan Benett, designado como director del Servicio de Registro Civil e Identificación en 1980, encabezó un equipo de trabajo conformado por ingenieros del Centro de Ciencias de Computación de la Universidad Católica, los que diseñaron un programa para incorporar toda la información necesaria para obtener certificados de nacimiento, matrimonio, defunción, cédula de identidad, pasaporte y otros documentos, en un computador de marca Digital. El cambio resultó una completa sorpresa para el usuario.

La mecanización permitió que el período de tiempo requerido para obtener el certificado de nacimiento, bajara de cuatro días a treinta minutos. El trámite para obtener o renovar pasaporte disminuyó de una semana a menos de un día. Se amplió también la cobertura regional, duplicando el número de oficinas del Registro Civil en que es posible obtener la cédula de identidad.

Un cambio menos visible, pero de la mayor importancia, es el experimentado en el servicio que el Registro Civil presta a los Tribunales de Justicia: las personas detenidas y declaradas reo debían esperar, en esa calidad, varios días para que el Registro Civil enviara el "extracto de filiación" –en provincias demoraba hasta diez días–, documento sin el cual el juez no podía adoptar ninguna determinación. Hoy se entregan en menos de 24 horas en todo el país.

La menor burocracia y la descentralización han contribuido a "desempapelar" a los chilenos. Hoy es posible cancelar todos los impuestos en cualquier oficina bancaria. Los gobiernos regionales toman sus propias decisiones de inversión, utilizando un fondo especial de desarrollo puesto a su disposición. Menos papeles, menos trabas burocráticas y... también, menos funcionarios públicos: entre 1977 y 1986, el número de personas que trabajan para el Estado disminuyó en 208.963. Esto significa que de cada diez funcionarios, más de seis han debido emigrar al sector privado.

La revolución municipal

A partir de 1981, las municipalidades comenzaron a experimentar una revolución. Una inyección de recursos financieros derivados de los impuestos territoriales, las patentes, y un fondo común que redistribuye dinero desde las municipalidades más ricas a las más pobres, produjo en menos de siete años un cambio total. El presupuesto total de estas entidades pasó de 40 millones de dólares, a comienzos de los años setenta, a 700 millones en la actualidad. La Municipalidad de Conchalí, tradicionalmente una de las comunas más pobres del Gran Santiago, vio multiplicar por cien sus fondos para inversiones: en moneda del mismo valor, en 1973 contaba con 3 millones de pesos, y hoy dispone de 300 millones anuales, situación que le permitió urbanizar el "campamento" más grande de Chile –denominado Villa Los Héroes de La Concepción– en un plazo de dos años, en circunstancias que al ritmo de las inversiones históricas habría necesitado los fondos equivalentes a seis décadas para sanear esa situación.

La mayor flexibilidad administrativa, y la posibilidad de pagar mejores rentas, le permitió a Conchalí multiplicar por dieciséis el número de profesionales que presta servicios en la municipalidad. Hace diez años sólo tenía el alcalde, el arquitecto encargado de las urbanizaciones y un abogado. Hoy cuenta con un equipo de cincuenta profesionales universitarios, entre ingenieros civiles, expertos en computación, sicólogos, constructores civiles, asistentes sociales y otros de diversas disciplinas, los que elaboran diagnósticos, estudios de factibilidad y contribuyen a una mejor toma de decisiones.

A través de ingeniosos mecanismos, las municipalidades han involucrado a los vecinos en la ejecución de diversas obras, incluso mediante un aporte económico, lo que los transforma en clientes y fiscalizadores simultáneamente. Entre 1984 y 1986, Conchalí pavimentó 565.000 metros cuadrados de calles, financiados parcialmente con un aporte de $ 15.000 por familia, obtenido mediante campañas especiales de recolección de fondos que organizó cada manzana. El impacto de la pavimentación va mucho más allá de lo que indicaría un análisis superficial, modificando los recorridos de los micros, que comienzan a llegar a calles por las que antes no pasaban, lo que a su vez trae como consecuencia la instalación de un almacén, y luego de una escuela subvencionada. La pavimentación genera verdaderos polos de desarrollo alrededor de determinadas calles o cuadras cuya vida y entorno se modifican totalmente.

La participación en proyectos de impacto real sobre la vida de una población ha hecho variar el criterio con que los vecinos eligen a sus líderes. Los nuevos dirigentes de Juntas de Vecinos son en su mayoría jóvenes, con algunos conocimientos del manejo de dinero, ingresos y gastos, capaces de darse cuenta de que, aunque una esté oculta y la otra luzca más, la inversión en alcantarillado es más conveniente que el gasto en una plaza.

En las municipalidades, la mayor cantidad de recursos ha ido acompañada por una multiplicación de sus funciones. Actualmente administran los programas de empleo, como el Programa de Empleo Mínimo (PEM) y el Programa de Ocupación para Jefes de Hogar (POJH), financian la construcción de viviendas y casetas sanitarias, administran los programas sociales de ayuda a los sectores más pobres, se preocupan del alumbrado público, la extracción de basura y la mantención de la red vial. Y..., desde hace algunos años, manejan también las escuelas y los consultorios médicos o las postas de primeros auxilios de su comuna.

Con toda esta tarea, a la que se añade la recaudación de patentes, impuestos territoriales, y otros, el trabajo manual no dio abasto. Por ello las municipalidades se han transformado en los últimos años en uno de los principales clientes de las empresas de informática, hasta el punto que Unisys Corporation, el segundo gigante mundial de la computación, creó un programa especial denominado "SAM" –Sistema de Administración Municipal–, que hoy utilizan Santiago, Las Condes, La Granja y numerosos otros municipios en el país, y que les permite digitar el número de una patente de automóvil, para tener en segundos en la pantalla el nombre del propietario, su dirección, y las características del vehículo. Lo mismo pasa con los listados de patentes comerciales, catastros de propiedades, beneficiarios de programas asistenciales y toda la información relevante.

Ante la misma "tortuga" en Renca y en Nueva York

El cambio en la educación, a consecuencia de la revolución municipal, resulta sorprendente. A partir de diciembre de 1986, fecha en que se completó el proceso, las municipalidades administran 6.340 escuelas a lo largo de Chile, manejadas en su mayoría por una corporación que recibe una subvención estatal por cada alumno que asiste diariamente a estudiar. De esta forma, las decisiones que afectan el funcionamiento de las escuelas ya no se adoptan centralmente en el Ministerio de Educación, sino en el propio municipio.

Según relata un alcalde de la Región Metropolitana, "la principal diferencia está en que ahora el problema educacional se ve bajo el prisma de los padres y los estudiantes, que son nuestros vecinos, los mismos a los que tenemos que mirarles las caras para convencerlos de participar en un programa de pavimentación o en otros proyectos del municipio. Antes, el Ministerio de Educación tendía a enfocar los problemas desde el punto de vista de los profesores''. La diferencia es notoria, no sólo en la rapidez con que se solucionan los problemas de infraestructura y equipamiento, sino en la adopción de decisiones que bajo la tutela del Ministerio de Educación habrían demorado años, o simplemente resultarían imposibles.

La Municipalidad de Temuco adquirió un laboratorio de inglés para sus alumnos.

La Corporación Educacional de Conchalí compró microcomputadores Atari, estableciendo dos centros, ubicados en Avenida Dorsal y en la población La Pincoya, para que parte de sus 36.000 alumnos tengan acceso a las oportunidades de aprendizaje que brinda esta herramienta educativa. Recientemente, el centro de padres de otra escuela envió una carta al alcalde señalando que han juntado recursos por $ 100.000 para adquirir 3 microcomputadores, y solicitando a la Municipalidad que financie los monitores requeridos para aprender las técnicas respectivas.

En Chile Chico, niños que jamás han visitado Santiago disponen de Ataris en sus escuelas.

Unisys donó dos microcomputadores a las escuelas municipalizadas de Renca y dos al Instituto Nacional. El resultado es coincidente con el que se indicó con anterioridad: los alumnos de Renca avanzaron mucho más rápido, lo que motivó que la referida empresa decidiera otorgar dos becas para estudiantes de Cuarto Año de Enseñanza Media, los que tendrán la oportunidad de especializarse en computación.

Estos resultados, a veces sorprendentes, muestran que, silenciosamente, el computador comienza a hacer real la igualdad de oportunidades en el acceso a la educación: los niños de Conchalí, de Las Condes, de Renca, de Chile Chico, de Providencia o de Nueva York, se sientan frente al mismo aparato, y aprenden, desde la misma edad, a manejar la misma "tortuga" del mismo lenguaje "logo" que se desplaza por la misma pantalla.

La cercanía con la realidad económica de las zonas en que se encuentran, ha llevado a las municipalidades a pedir la aprobación del Ministerio de Educación para programas de estudios especiales más acordes con las posibilidades de ocupación futura de los alumnos.

Así, debido a la demanda de técnicos calificados para el desarrollo frutícola, la Municipalidad de San Bernardo comenzó a impartir cursos de "refrigeración" en los liceos, orientados básicamente a ese sector.

En el Liceo Técnico-Profesional Femenino B-39, de Conchalí, empezaron a dictarse cursos de manipulación de alimentos, y se creó la especialidad de Secretariado con Mención en Computación.

Siguiendo el incentivo que significa recibir una subvención estatal por cada alumno efectivamente atendido, y la consiguiente necesidad de incrementar la matrícula para obtener financiamiento, las municipalidades iniciaron una verdadera guerra contra la deserción y ausentismo escolar.

En Palena, por ejemplo, se crearon cuatro internados, a fin de atraer a estudiantes que por vivir en lugares alejados, o debido a la crudeza del invierno, no asistirían a la escuela si no pudieran quedarse a alojar en ella.

Los "micros del colegio", que hasta hace pocos años sólo eran conocidos en establecimientos de educación particular pagada, pasan hoy a buscar a los estudiantes de las

113

escuelas municipalizadas de San Carlos y de Arauco, entre otros municipios de la Octava Región.

Música en el consultorio médico

Las municipalidades administran también 900 postas de primeros auxilios rurales, más de 100 consultorios médicos urbanos y cerca de 40 consultorios médicos rurales, recibiendo una subvención estatal por cada servicio de salud que prestan. La toma de decisiones con mayor "cercanía" a las necesidades reales, está surtiendo su efecto. El cambio es notorio en los sectores campesinos, en cuanto a disponibilidad de ambulancias para atender las urgencias, uso de equipos de radio en zonas apartadas y rondas médicas. En Calbuco, comuna que tiene catorce islas, la ronda médica se hace en lancha; el viaje se aprovecha, además, para cancelar otros beneficios sociales, como el subsidio único familiar y las pensiones asistenciales. Anteriormente, la lancha pertenecía al Ministerio de Salud, y la frecuencia de sus recorridos era significativamente menor. Alhué, comuna de la Región Metropolitana, posee ahora médico residente y matrona.

En Conchalí, el consultorio Arturo Scroggie, que resultó seriamente dañado por el último terremoto, fue reconstruido, y se transformó en una moderna instalación ubicada al centro de la población Villa Los Escritores de Chile. El mayor *confort*, con salas de estar calefaccionadas y música ambiental, no sólo se ha traducido en incremento del número de personas atendidas, sino que constituye un centro social donde los vecinos se reúnen a conversar.

8. "Clientización" de la Economía

En pocos años, la necesidad de atraer clientes, –necesidad que ha producido una fuerte competencia–, junto a la modernización tecnológica, han cambiado la forma en que los chilenos compran, resuelven sus necesidades financieras, viajan y se comunican. A través de los servicios –sector que representa actualmente más del cincuenta por ciento del producto nacional y el sesenta por ciento del empleo–, la revolución silenciosa se ha masificado.

Una muestra: la competencia entre las líneas de buses interprovinciales ha hecho que éstos vayan ofreciendo cada vez mejores servicios. En 1975, el 23 por ciento del total de los 344 buses poseía baño. Diez años después, no sólo el número total de buses se ha más que duplicado, sino que el 87 por ciento tiene baño, más de la mitad cuenta con televisor y el 45 por ciento ofrece servicio de bar a los pasajeros. Las máquinas de dos pisos con vista panorámica y los buses-cama son otro adelanto de los últimos años.

Comprar es un paseo

Entre tantos cambios, hay uno silencioso pero muy visible: el del comercio, caracterizado por un aumento en la cantidad y diversidad de productos que ofrece y por la aparición de grandes centros comerciales y tiendas de departamentos, lo que permite ahorrar tiempo al consumidor al encontrar en un mismo lugar físico una amplia variedad de productos.

La transformación de los supermercados y el rápido desarrollo de numerosas cadenas, como Almac, Unimarc, Jumbo, Marmentini y Letelier, Cosmos, Montserrat, Agas y otras en regiones, constituye uno de los cambios más notables en materia de atención al público consumidor. Con la opción de elegir entre miles de productos distintos, sin sentir la presión de ningún vendedor, y demorándose todo el tiempo que se estime necesario, las compras en el supermercado se han transformado, para la familia, en un verdadero paseo. Lejanos están los días en que compraba la empleada doméstica o sólo la dueña de casa. Especialmente en las tardes, y a toda hora los fines de semana, la familia entera, con el matrimonio y los hijos, va de paseo al supermercado. Es probable que a la entrada del establecimiento una banda de músicos entretenga a los niños, los que jugarán también en aparatos eléctricos o tendrán la posibilidad de darle la mano al ratón Mickey, al Pato Donald o a otros personajes que se pasean por entre las góndolas. Entre tanto, el padre podrá probar los licores, papas fritas y numerosos otros productos que simpáticas jóvenes le ofrecerán en los *stands* de degustación.

El cambio de hábitos provocado por los supermercados se extiende cada vez más: el nivel de higiene, que incluye sofisticados controles bacteriológicos en las verduras, pescados y otros productos, ubica a dichos establecimientos en un nivel incomparablemente superior a las tradicionales ferias libres. La carne se vende en bandejas envueltas en polietileno

116

sellado, en tanto que los industriales –para atraer la atención de los compradores potenciales– se han visto obligados por la competencia a mejorar la presentación y el envase de sus productos.

Trabajar en un supermercado constituye una profesión. El personal de carnicería, al igual que el que trabaja con las verduras, está técnicamente capacitado para ello, pues debe seguir cursos sobre la calidad del producto, su conservación y su tratamiento. El equipo profesional incluye también cajeras con conocimientos de computación, promotoras, decoradoras de locales y expertos en marketing.

Feliz cumpleaños, consumidor

El avance tecnológico en los supermercados se debe a una herramienta: la computación. En los Almac, cada producto tiene su código, lo que permite que la cajera lo digite en su teclado, obteniendo de inmediato el precio en la pantalla, entregando al consumidor una boleta que constituye una verdadera factura, con un listado de todos los productos adquiridos, uno por uno, con sus respectivos precios. Esto le sirve a la dueña de casa para llevar un mejor control de sus gastos y de los precios que está pagando por cada mercadería comprada.

A su vez, el sistema computacional permite al supermercado manejar más eficientemente la cantidad de cada producto que mantiene en sus bodegas. La información acumulada le entrega antecedentes sobre la velocidad de rotación, y el grado en que las ventas van a variar ante un cambio de los precios.

Muchos de los clientes del nuevo Unimarc de ''Canta Gallo'', en la comuna de Las Condes, en Santiago, se sor-

117

prenden cuando la cajera les llama por su nombre... o les felicita si están de cumpleaños, entregándoles un pequeño regalo. La razón: a través de un sofisticado programa computacional diseñado por Cenac, único en Latinoamérica, cada cliente dispone de una tarjeta, que debe mostrar cada vez que efectúa una compra. La caja, que no es una caja cualquiera sino un computador personal Epson, lee el código de la tarjeta, apareciendo en pantalla el nombre del cliente, su fecha de nacimiento y otros antecedentes. Además, el cliente recibe una boleta que detalla, por orden alfabético, cada producto adquirido, con sus respectivas cantidades y precios... Y si lo solicita, el día ocho de cada mes puede retirar una cartola confidencial que entrega el computador, en que se detallan todas y cada una de las compras que el cliente realizó el mes anterior.

El "toque" humano

Como todo avance tecnológico que aspira a ser aceptado, la sofisticación debe ir acompañada de una mayor calidez humana. Los compradores se sienten atraídos no sólo por la alta tecnología, sino también por el aroma de la panadería del supermercado, o por los escaparates en que se venden productos a granel, en los cuales los consumidores se abastecen personalmente utilizando una primitiva poruña. Hoy los supermercados han ampliado considerablemente su gama de productos, incluyendo artículos de farmacia, paquetería, productos naturales y hasta clínicas de plantas, adonde la dueña de casa lleva sus plantas enfermas para que sean atendidas por especialistas que le dan una receta.

El afán de mejorar el servicio al cliente está llegando a extremos de increíble sofisticación. En el Almac de Estoril, también en la comuna de Las Condes, un dispositivo programado con anterioridad hace funcionar un mecanismo que cada determinados minutos lanza, por seis segundos, un finísimo chorro de agua a las verduras en los escaparates refrigerados, logrando simular el leve rocío que se produce en el amanecer en el campo. El ''rociador'' consigue que la verdura se mantenga siempre en óptimas condiciones, fresca, evitando, por ejemplo, que las lechugas se pongan mustias con el calor del verano.

Aunque los supermercados se iniciaron en los barrios acomodados, posteriormente han invadido Santiago entero, con total aceptación en barrios populares.

El éxito, y la necesidad de acomodarse a públicos distintos, está dando origen en Chile a nuevos conceptos de supermercados. Es el caso de Ekono, un supermercado del tipo ''bodega'', que vende una línea más reducida de productos, sin ningún tipo de servicio extra al cliente, y que apunta a ventas masivas a precios bajos.

Los Esso Market, pertenecientes a la conocida cadena distribuidora de combustibles, constituyen una nueva alternativa para el consumidor. Funcionando las 24 horas del día en algunos de los principales servicentros de Esso en Santiago, fueron diseñados con el concepto norteamericano de *convenience store*, a fin de satisfacer las necesidades de compras rápidas e imprevistas a cualquier hora. Los pequeños supermercados, aún más modernos que los que tiene Esso en Estados Unidos, son ahora un modelo para las diferentes oficinas de Esso en Sudamérica, por lo que delegaciones de dichos países vinieron recientemente a Chile para observar su funcionamiento.

Las compras del mes por teléfono

Numerosas mujeres que trabajan ahorran tiempo efectuando sus compras por teléfono, sin acudir al supermercado. Actualmente, cinco mil familias del Gran Santiago llaman a Telemercados Europa y reciben su pedido a domicilio –incluso durante el verano, en que el pedido les es entregado en el lugar de vacaciones si éste es una playa del litoral central–, cambiándolo con la periodicidad que estimen conveniente, para lo cual deben llamar a Telemercados señalando los códigos de los productos que desean adquirir, con la cantidad correspondiente. Mensualmente reciben un listado con los productos comprados el mes anterior, con los precios correspondientes, y con los precios actualizados si éstos han subido, lo que permite al consumidor conocer inmediatamente la cantidad extra que deberá gastar si quiere seguir efectuando las mismas compras.

El sistema sigue extendiéndose: la cadena de supermercados Marmentini y Letelier estableció recientemente un mecanismo similar, denominado "Teleservicio".

Los mall

Nacidos en la década del cuarenta en Estados Unidos, los *shopping centers* o *malls*, han alcanzado en los últimos años un rápido desarrollo. Hoy se contabilizan en Santiago más de cincuenta centros comerciales de importancia, pero ninguno de ellos puede competir con los dos gigantes del mercado: Parque Arauco y Apumanque. Situados ambos en la comuna de Las Condes, reciben a más de un millón de visitantes al mes, con ventas cuyos records se van quebrando año a año.

El Parque Arauco abrió sus puertas en 1982, al fructificar la iniciativa de un grupo de empresarios chilenos vinculados a la construcción, quienes comenzaron a evaluar el proyecto en 1978. Encabezados por Tomás Fürst, quien había trabajado en una empresa europea especializada en *shopping centers*, invirtieron 40 millones de dólares en la construcción de un gigantesco local de 40 mil metros cuadrados construidos, que alberga a más de 140 locales comerciales y a tres tiendas "anclas" con fuerte capacidad para atraer público y que constituyen el centro de la actividad: Falabella, Muricy y Almac. El centro comercial, que realizó hace poco tiempo una importante ampliación, cuenta con estacionamientos, cine, estaciones de servicio, movilización permanente en buses especiales al Metro, a las comunas de Ñuñoa y La Reina, y un sistema de circuito cerrado de televisión con vigilancia permanente de todos los accesos. El Apumanque, por su parte, con 42 mil metros cuadrados construidos y 335 locales comerciales, posee el equivalente a diecinueve cuadras de vitrinas.

Paralelo al desarrollo de los centros comerciales, está la expansión de las grandes tiendas de departamentos, como Falabella, Almacenes París, Ripley y otras, las que han ampliado su cobertura y modernizado sus sistemas de atención al público. Todas ellas otorgan a sus clientes el beneficio de las tarjetas de crédito. Incluso, gracias a la ayuda de un computador con oficinas en línea, los poseedores de tarjetas de crédito Falabella pueden utilizarlas en cualquiera de las cuatro ciudades del país donde existen centros comerciales de dicha empresa.

El computador al servicio del cliente

Los computadores son parte esencial de la "revolución silenciosa", transformando los mecanismos de manejo de datos y los sistemas de información y atención de público. La "prehistoria" del sector se remonta a 1974, cuando un decreto permitió, incluso antes de que el resto de la economía chilena se integrara al mundo, importar computadores con un impuesto de sólo 10 por ciento. Nació entonces un grupo de empresas, entre las que estaban Binaria; Sociedad Nacional de Procesamiento de Datos, Sonda; Cibercom, y Procesamientos Electrónicos, Procesac. La mayoría de ellas estaba formada por jóvenes ingenieros interesados en el tema. Entre 1974 y 1986, la industria de la computación creció a un ritmo del 25 por ciento anual, llegando a sumar últimamente ventas totales por más de 240 millones de dólares al año, cifra que representa el 1,2 por ciento de la producción total del país.

En un sector que avanza vertiginosamente y cuya tecnología está en constante cambio, la integración con el mundo resultó fundamental. Hoy –según expertos del área–, Chile está a una distancia "cero" de los países desarrollados, en tanto que tecnológicamente estamos a dos años de adelanto con respecto a Argentina o Brasil.

Aunque ha crecido desde su creación, el despegue definitivo se produjo a partir de 1981. Hasta ese año los computadores se usaban sólo para el ordenamiento de datos, pero a partir de entonces comenzaron a utilizarse para el manejo de procesos industriales, siendo pionera la automatización de la molienda semiautógena en la minería del cobre: con un computador de 200 mil dólares, la División El Salvador, de Codelco, con la colaboración de ingenieros de Sonda, logró ahorros de energía que pagaron la inversión en pocos meses.

Actualmente, la computación está presente en todas las empresas. A través de 5 microcomputadores y 23 terminales en sus oficinas centrales, 2 microcomputadores y 6 pantallas en el Ministerio de Salud, el Fondo Nacional de Salud, más conocido por su sigla Fonasa, maneja hoy 8 millones de órdenes de atención y 300.000 pagos al año. El computador permite enviar a los médicos un listado con todos los bonos de atención Fonasa que han cobrado en un período determinado.

Nace una estrella

Dentro de la industria hay una estrella: Sonda. La empresa, creada, como ya dijimos, por el ingeniero Andrés Navarro, se inició en 1974 con sólo 10 empleados y ventas por 500 mil dólares. Doce años después, con 600 empleados, ventas en Chile que superan los 30 millones de dólares al año, y oficinas en Argentina y Perú, constituye la compañía de computación más grande de Sudamérica. Entre sus principales realizaciones está el desarrollo de un *software* denominado STF, especializado en "atención de público en línea para la Banca". Cada copia se ha comercializado varias veces en Chile y Argentina, y acaba de presentarse a una feria en Estados Unidos; se vende en 150 mil dólares, en competencia con el programa SAFE, desarrollado por la IBM. Las posibilidades de expansión de la empresa siguen vigentes: como se indicó anteriormente, Sonda, transformada en un gigante de la computación, en sociedad con una empresa estadounidense, compite con IBM-Hong Kong en la licitación para poner en línea las primeras 300 de las 100.000 sucursales del Banco Popular de China. El programa, ideado en Chile, fue traducido al katanaka –abecedario computacional chino–, por una compañía del Estado de Washington...

Birds *en Pekín*

Pero no todo es Sonda. En materia de desarrollo de programas de computación, diversas empresas tienen un lugar destacado.

Orden, con 120 personas, la mayoría ingenieros, diseñó el primer *software* chileno de cuarta generación, denominado Dunga, que ya ha vendido cincuenta copias en el mercado internacional.

Un grupo de ingenieros del Departamento de Ciencias de la Computación de la Universidad de Chile, en conjunto con ejecutivos de Unisys-Chile, encabezados por Osvaldo Shaerer, ideó un programa denominado *Birds,* que permite consultar en la pantalla determinadas referencias bibliográficas "llamando" directamente a los textos. Dicho programa fue adquirido por la Biblioteca de Pekín, y fue instalado personalmente por Osvaldo Shaerer, quien debió permanecer varios meses en China para tal efecto.

La empresa Ettica, con seis ingenieros encabezados por Pablo Palma, creó el programa Proclínica, de *software* especializado en hospitales. Dicho programa fue adquirido en nuestro país por el Hospital Militar y el Hospital de Carabineros. Cuando Unisys-Chile supo de la existencia de este programa, ofreció a sus creadores comercializarlo en el extranjero. Hasta ahora, ha sido adquirido por varios establecimientos hospitalarios de América Latina y Estados Unidos. Entre ellos, el conocido Mercy Hospital, de Miami, y el Hospital General de México.

La central mundial de Unisys decidió crear en Chile un

Centro de Desarrollo de Software, el primero en Latinoamérica, luego de determinar que nuestro país y Costa Rica cuentan con las mayores ventajas comparativas en términos de capital humano especializado en informática. La primera gran fábrica de *software* instalada en Chile, comenzará a operar en marzo, con la finalidad de exportar programas hechos a medida para los principales clientes de Unisys en América Latina.

Mayor tráfico de computadores

Chile es el país latinoamericano que tiene el mayor volumen de tráfico de computadores con Estados Unidos después de Brasil. Dicho tráfico incluye las consultas a bases de datos norteamericanas, transferencia de información bancaria, facturaciones y otros tipos de tráfico informativo. Con tres sistemas de transmisión de datos que compiten entre sí, Chile tendrá la mejor capacidad instalada en esta materia en Latinoamérica, lo que permitirá que las veinticinco ciudades más grandes del país se conecten en segundos con una base de datos en Japón, Estados Unidos o Europa. Desde las oficinas de una empresa frutera en Copiapó será posible pedir y tener en pantalla, en menos de un minuto, el informe sobre el mercado de la uva que esté disponible en la base de datos de una universidad norteamericana, con una información que llegará a una velocidad de 9.600 bites por segundo; 200 veces más rápido que un télex.

El dueño de una máquina Caterpillar se demora hoy diez minutos en comprar un repuesto. Si no está en el país, Gildemeister se lo importará en poco más de una semana. Bajo el lema de ''Nadie se va sin comprar'', la empresa puso en marcha un sistema computacional que la conecta directamente con los almacenes de repuestos en Estados Unidos. Así, luego de digitar el código del artículo solicitado, la computadora señalará si se encuentra en las bodegas en Santiago o en Norteamérica, en cuyo último caso se demorará un poco más de una semana en llegar.

Cuarenta y cinco millones de minutos

Las posibilidades de comunicación abiertas para los chilenos son múltiples, incluyendo la mayor cobertura del servicio telefónico, su automatización y el establecimiento del sistema de discado directo nacional e internacional. Este último permite comunicarse, sin pasar por la operadora, con 124 ciudades de 22 países. Entre 1970 y 1986, el número de teléfonos en funcionamiento se multiplicó por dos, en tanto que el número de llamadas de larga distancia saltó de 17 millones a 65 millones. Durante 1986, los chilenos ocuparon 45 millones de minutos en comunicaciones telefónicas internacionales, cifra que supera en más de once veces a la de 1970.

Las compañías telefónicas privadas han constituido una solución para impulsar el avance del sector. En la Décima y Decimoprimera Región, las telefónicas privadas han invertido cinco veces más en los últimos cuatro años que en los veinte años anteriores. El tráfico de llamadas está creciendo a una tasa del 25 por ciento al año, y dentro de muy poco será posible llamar a cualquier parte del mundo, por discado directo, desde las sesenta localidades más grandes de la zona de Puerto Montt, Osorno y Valdivia.

El teléfono en los automóviles, el correo electrónico, los fax y video-conferencias son también alternativas ya en rápida expansión.

La telefónica móvil, a través de la empresa Cidcom, también ha hecho un agresivo ingreso en el mercado, supliendo incluso, en algunos casos, a la propia Compañía de Teléfonos de Chile. Debido a que a Cidcom se le condicionó su funcionamiento sólo a la instalación de servicio telefónico en los vehículos, varias empresas fruteras y propietarios de fundos, ante la imposibilidad de conseguir teléfono pese a que están ubicados muy cerca de Santiago, han adquirido citronetas viejas, las que instalan con teléfono al lado afuera de la empresa... Luego, desde la citroneta sacan un anexo para utilizarlo en la oficina.

Con 6.500 máquinas a lo largo del territorio nacional, un tráfico que crece a una tasa del 16 por ciento al año, y cuatro empresas privadas que compiten entre sí: Télex Chile, VTR Telecomunicaciones, Texcom e ITT Comunicaciones Mundiales, Chile posee hoy la red de télex más moderna de latinoamérica. Télex Chile, ayudada por equipos computacionales, ha experimentado una notable modernización, que le permitió aumentar de 10 mil a 18 mil el número de telegramas que envía diariamente –la mayoría de los cuales son puestos por teléfono por los clientes–, creando nuevos productos, como el correo electrónico y los printergrama.

Establecido originalmente como un servicio para los comerciantes de la Zona Franca de Iquique, que para ahorrar costos no disponen de mensajero ni de secretaria, VTR creó a ''TOM'', un sistema de correo electrónico. Los mensajes llegan a una ''casilla'', que no queda en la oficina de correos, sino en la memoria del computador, a la que puede recurrir el usuario para reproducirlos en su propia pantalla. Hoy, mil empresas en Chile utilizan dicho mecanismo.

El producto de más rápido crecimiento en Chile en materia de telecomunicaciones es el transmisor de facsímiles, verdadera fotocopiadora telefónica, conocida como "fax". Un contrato, factura, o documento que está en Londres, Nueva York o en cualquier parte del mundo, puede ser "físicamente" transmitido a Santiago en minutos, con sólo discar el número telefónico del "fax" de que se trate, recibiéndose una fotocopia del documento original. Debido a sus grandes ventajas: además de datos, transmite imágenes, a un costo tres veces más barato que el de una llamada telefónica, y con un precio de alrededor de tres mil dólares, el "fax" ha arrasado con el mercado. Hoy las máquinas de "fax" existentes en nuestro país se acercan a las mil unidades, en tanto que hace un año y medio no había casi ninguna. Igualmente, empresas privadas de telecomunicaciones han establecido cómodas cabinas de "fax" en diferentes ciudades, de tal forma que si alguien quiere enviar un documento o una carta desde Santiago a Concepción, la fotocopia de ésta podrá ser recibida en minutos en esa ciudad.

La Empresa Nacional de Telecomunicaciones, Entel Chile, inauguró su sistema de video-conferencias, que permite que ejecutivos de empresas conversen desde Santiago "cara a cara" con otros en Concepción, o en Antofagasta. Por un precio de 100.000 pesos la hora, es posible ahorrar tiempo y dinero sin perder la calidez que significa ver la reacción de la otra persona cuando se está discutiendo un negocio.

Adquirir un televisor o una radio en cuotas mensuales cómodas, o a veces no tan cómodas, es una posibilidad abierta actualmente a la mayoría. La rápida expansión de los bancos y financieras –que han abierto 175 sucursales en los últimos quince años y han multiplicado por 17 el monto de los préstamos otorgados–, el crecimiento del sistema de tarjetas, y la adopción de sus propios mecanismos de financiamiento por parte de las grandes tiendas comerciales, han terminado por ampliar el horizonte de las posibilidades de créditos a las que tiene acceso el consumidor.

En cuanto a las entidades financieras, el avance tecnológico permite que la ''gimnasia bancaria'' continúe incluso en horas de descanso. La incorporación de los cajeros automáticos posibilita el pago de servicios, así como el depósito y giro de dinero fresco de la cuenta corriente o de ahorro, y el pago de compras hechas con tarjetas de crédito, a cualquier hora del día o de la noche y en cualquier día de la semana, incluidos domingos y festivos. Las sucursales ''en línea'' permiten que un cheque de la sucursal Puerto Varas sea cobrado inmediatamente en Antofagasta o en Santiago. Por teléfono se puede pedir el saldo de la cuenta corriente, y el movimiento de los últimos cheques girados, también en cualquier día u hora. Más aún: alguien que posea un télex o un computador personal puede, desde su casa, hacer ''gimnasia bancaria'' en cualquier momento, accediendo a sus cuentas corrientes y efectuando transferencias de fondos.

Un total de 9.600.000 transacciones bancarias se realizan al año a través de los 180 cajeros automáticos existentes hoy en el país. Para dar más facilidades a sus clientes, un grupo de bancos, entre los que están el Banco de Chile, de

Santiago, Español y de Crédito e Inversiones, crearon una red compartida, de tal forma que los clientes de cualquiera de esas entidades financieras podrán efectuar transacciones utilizando indistintamente los cajeros automáticos de todos ellos. A su vez, la red compartida permitirá reasignar en forma más eficiente la localización que dichos aparatos tienen actualmente.

Chile fue el primer país latinoamericano en conectarse al sistema Swift, que permite la transferencia electrónica de fondos, en un tiempo de cuatro segundos, entre 2.500 bancos en el mundo. Gracias al Swift – programa desarrollado por Unisys–, es posible efectuar un depósito en Santiago y retirar el dinero en Hong Kong en tiempo récord. Debido a la magnitud e importancia de las transacciones que se realizan a través del sistema, el computador central del Swift en cada país –que en Chile está ubicado en la empresa Sonda– tiene un sistema especial de alarma que se detona simultáneamente en todo el mundo. Así, si alguien intenta ingresar clandestinamente al computador en Santiago, la alarma suena simultáneamente en Bruselas y otras ciudades. Las precauciones son tantas, que para ingresar en el lugar donde está el computador se requieren dos personas, cada una con "media llave". La alarma dispone también de un sensor de ultrasonido que detecta todos los movimientos. Si alguien entra y se queda quieto, sin moverse..., luego de algunos segundos el computador emite a todos los países una alarma urgente que señala: "Algo raro pasa, alguien entró en Santiago y no se mueve. Investigar". La rapidez de la transferencia electrónica de fondos entre diferentes países del mundo, hace que hoy sea más fácil depositar dinero en Santiago para cobrarlo en una cuenta en Londres, París, Singapur o Taipei, que depositarlo en Valparaíso para cobrarlo en Santiago. Esta insólita situa-

130

ción llevó a la Asociación de Bancos, en Chile, a diseñar un sistema, denominado Sinacofi, que permite la transferencia electrónica de fondos entre los bancos nacionales.

Hay sociedades de inversión que funcionan desde una pequeña oficina en el centro de Santiago, premunidas sólo de un computador y un "fax". Además de realizar todo tipo de transacciones, pueden digitar en el computador el código de su cuenta en Suiza y recibir, en menos de cuatro minutos, la cartola con las últimas transacciones y el estado de situación a través del "fax".

Conectados mediante las pantallas del Servicio Económico de la Agencia Noticiosa Reuters, los bancos, corredores de bolsa, fondos mutuos e inversionistas en general, pueden conocer minuto a minuto los movimientos de Wall Street, la bolsa de Tokio, de Londres o de Hong Kong. Además de las noticias que afectan los mercados mundiales, la digitación de un código permite saber qué está ocurriendo con el precio del cobre, del oro, del petróleo o de cualquier otro producto. En el Banco Central, pantallas gigantes de Reuters mantienen informados las 24 horas del día a los ejecutivos de la "mesa de dinero" del instituto emisor.

9. Los nuevos negocios del Sector Privado

El Estado se bate en retirada. La empresa privada lo está reemplazando en áreas que hasta hace poco parecían inexpugnables: la previsión privada, la salud privada y la educación privada, son ya un hecho de la vida diaria, dando impulso a nuevas industrias que mueven miles de millones de pesos.

Para una primera aproximación al sorprendente mundo de los servicios de salud prestados por empresas privadas, nada mejor que recorrer a pie las primeras tres cuadras de la Avenida Salvador, en Santiago, las que se han transformado –como ya lo dijimos en un capítulo anterior– en un "barrio médico". En menos de cuatrocientos metros, compiten entre sí diecisiete compañías que ofrecen los más variados servicios, desde rayos X, laboratorios y tomografía computarizada, hasta atenciones de cirugía plástica. Sus nombres –muchos de ellos de fantasía– son variados: Laboratorio Clínico Blanco, Instituto Médico Salvador, Imes, Centro de Rehabilitación Cardiológica, Demed, Instituto Dermatológico San Luis, Instituto Médico y Dental Lister, Centro Médico Ademed, Scanner Salvador, Laboratorio Clínico Huelén, Centro Radiológico Salvador... En la misma calle, Hélico Instru-

133

mental Médico, ofrece equipos importados para la atención de salud.

Se trata de un negocio en franca expansión, cuya razón de ser reside en competir por atender los pedidos y demandas de los más de veinte Institutos de Salud Previsional, conocidos como Isapres, que hoy atienden a alrededor de 330.000 familias chilenas –que aportan, en promedio, 5.500 pesos mensuales–, con más de un millón de beneficiarios. Las Isapres administran cotizaciones por un valor de 120 millones de dólares al año. Aunque en los inicios del sistema, la mayoría de los afiliados pertenecía a estratos de ingresos altos, la salud privada se ha masificado: hace cuatro años, el sueldo promedio de los afiliados al sistema era de 140.000 pesos mensuales, en tanto que ahora ha disminuido a 67.000. En Banmédica, líder del mercado, de cada diez personas que se afilian actualmente, siete ganan menos de 60.000 pesos mensuales.

Las Isapres han incrementado las posibilidades de acceso a la salud, por lo que el número de consultas médicas ha crecido significativamente, pasando de 12.899.000 en 1981 –año de inicio del sistema privado– a cerca de 20.000.000 de consultas al año en la actualidad. Y hay otra diferencia importante: mientras los adscritos al Sistema Nacional de Servicios de Salud, administrado por el Estado, consultan al médico 1,7 veces en el año en promedio, los afiliados a las Isapres son atendidos 4 veces. La situación anterior se ha traducido en un fuerte incremento de las atenciones de médicos particulares, que pasaron de un 5,9 por ciento del total en 1981, al 15,9 por ciento en 1985. De hecho, de la remuneración que reciben los médicos por su consulta privada en Santiago, el 60 por ciento corresponde ahora a bonos de

Isapres, en tanto que el otro 40 por ciento representa el pago directo efectuado por algunos pacientes.

Ciencia y resfríos

Las Isapres han terminado por cambiar la actitud de los chilenos ante la salud. La persona pasiva ante el sistema estatal, debido a las esperas y trámites, se ha transformado en un ser activo, que exige y pide más, porque sabe que está pagando. Envía cartas al diario si siente que lo atienden mal o, simplemente, si no está conforme se cambia a otra Isapre.

Entre los fenómenos curiosos de la privatización de la salud está el cambio en las enfermedades más frecuentes. La consulta por resfrío es la más común entre los afiliados a Isapres, y no lo era en el sistema estatal. La razón no reside en que ahora la gente se resfríe más, sino en que en el sistema estatal, en que había que levantarse a tempranas horas para conseguir número para ser atendido, nadie pasaba esas molestias por un simple resfrío.

La atención al usuario continúa mejorando gracias a la computación. Hace dos años, una persona que llegaba a las oficinas de Banmédica para pedir una orden de atención médica, o de servicios de rayos o de laboratorio, o solicitar el reembolso de su dinero, demoraba, en promedio, veinte minutos. Hoy no requiere más de tres minutos. Para solicitar el reembolso de una consulta que ha pagado, al usuario le basta con acudir a cualquier oficina de la Isapre, entregar la boleta del médico y pasar a la caja a cobrar el monto de la correspondiente bonificación. Si el usuario solicita la atención de un médico determinado, la digitación de dicho nombre hará aparecer en la pantalla el costo exacto de la consulta

135

y la cantidad que la Isapre le reembolsará, recibiendo de inmediato los bonos de atención correspondientes.

Planes de salud "a la medida"

Poco a poco, las empresas han comenzado a negociar con las Isapres planes colectivos −muchos de ellos diseñados de acuerdo a las necesidades específicas de una determinada empresa−, afiliando a todos los trabajadores, incluso a los que ganan el sueldo mínimo, situación que los dejaría afectos a muy pocos beneficios si se afiliaran individualmente. Los planes constituyen verdaderos "trajes a la medida". El Banco Central, por ejemplo, no se interesó por ninguno de los treinta y cinco planes diferentes que ofrece Cruz Blanca, por lo que fue necesario que la Isapre le diseñara, a pedido, uno especial, que incluye tratamiento siquiátrico y de fonoaudiología, además de traslados en ambulancia y cobertura para las atenciones fuera del país.

La fuerte competencia ha hecho mejorar la eficiencia del sistema y ofrecer nuevos servicios. La mitad de las Isapres tiene ahora cobertura dental, lo que constituye una novedad, ya que nunca los gastos en dentista fueron cubiertos por el sistema estatal. Desde 1981, los gastos de administración y ventas de las Isapres se han reducido a la mitad, medidos como porcentaje de las cotizaciones totales. Un paciente pasa, en promedio, ocho días en un hospital estatal, en tanto que −debido a la mayor eficiencia, y a que el costo hace que el paciente permanezca internado nada más que lo indispensable, permitiendo que la infraestructura sea ocupada por otra persona− la estadía en la Clínica Santa María es de sólo cuatro días promedio.

Pese a una natural reticencia en los primeros meses de funcionamiento del mercado de la salud, los médicos han terminado por transformarse también en empresarios, creando y administrando sus propias Isapres. Galénica, de Arica; Ismed, de Iquique; Isamédica, de Rancagua; Más Vida, de Concepción y Unimed, de Santiago, son de propiedad de médicos-empresarios.

La necesidad de satisfacer la creciente demanda por servicios de salud, canalizada a través de las Isapres, ha promovido una fuerte inversión en infraestructura. Las clínicas privadas "no dan abasto", debiendo invertir en expansiones y equipamiento. Banmédica invirtió 8 millones de dólares en readecuar la Clínica Santa María, que de tener grandes pérdidas pasó a obtener grandes utilidades. La Clínica Alemana construyó un quinto piso adicional, y proyecta una nueva torre. Las Unidades de Cuidado Intensivo –conocidas como UCI– se renovaron totalmente en los últimos años. El número de scanners existentes en Santiago pasó de 3 en 1980, a 10 en la actualidad. La Clínica Antofagasta, la Clínica Schweitzer en Iquique, la Clínica La Serena, la Clínica de Punta Arenas y la Clínica Los Carrera, de Quilpué, constituyen importantes inversiones en infraestructura de salud surgidas recientemente para satisfacer la demanda de las Isapres. En los últimos meses, siete Institutos de Salud Previsional formaron la Sociedad de Desarrollo Hospitalario para realizar inversiones conjuntas en infraestructura.

Pero aún con mayor empuje que las grandes clínicas privadas, surgen cada vez más centros médicos, laboratorios y empresas privadas que, a través de convenios con las Isapres, prestan servicios de salud.

Mente sana en cuerpo sano

La creciente preocupación por la salud de parte de la población, ha hecho aumentar el número de personas que practica deportes –trote y ciclismo, especialmente–, y ha influido sobre la publicidad de diversas empresas. Las pastas dentífricas, por ejemplo, hoy enfatizan el control del sarro, en tanto que CIC ideó un nuevo modelo de sillas ergonométricas que permiten estar sentado en una posición ideal para la columna vertebral. En la popularización del concepto que ''es mejor prevenir que curar'', también han tenido parte importante las Isapres, especialmente a través de su publicidad y de sus campañas institucionales:

Banmédica y Colmena Golden Cross financian cursos de postgrado a médicos en la universidad.

Ispen realizó una publicación sobre cardiología.

Banmédica organizó una teleconferencia sobre el Sida, y editará un libro masivo, cuyo autor es el médico Francisco Quesnay, sobre prevención de salud.

Profesores - empresarios

Aunque el concepto puede parecernos poco familiar, educar niños y jóvenes universitarios es también una tarea de empresarios. La necesidad de otorgar alternativas a los jóvenes que egresan de la Enseñanza Media, de los cuales sólo una determinada proporción tiene acceso a estudios superiores en las universidades tradicionales, contribuyó a la transformación de muchos educadores en empresarios, los que establecieron colegios particulares, centros de formación técnica, institutos profesionales y hasta universidades.

De hecho, cada vez más familias chilenas tienen hijos

estudiando en las universidades privadas: Gabriela Mistral, Central o Diego Portales, y la proporción que estudia en la Universidad Católica o en la Universidad de Chile es cada vez menor. Los centros de formación técnica están constituyendo una solución para la vieja aspiración de dar a los jóvenes una especialidad que los capacite para entrar de lleno en el mundo laboral.

Paradojalmente, el gran auge de los profesores-empresarios no está en la educación superior –en que existen aún importantes limitaciones– sino en las escuelas, liceos y colegios orientados a los niños de menores recursos. Incentivados por el mecanismo estatal que otorga una cantidad en dinero por cada alumno atendido diariamente, 2.700 escuelas particulares subvencionadas han surgido en los últimos cuatro años. La Sociedad de Instrucción Primaria, perteneciente a la Fundación Matte –creada por Claudio Matte con fines filantrópicos a fines del siglo pasado–, ocupa el primer lugar en el *ranking* del mercado educacional orientado a niños y jóvenes de menores recursos. Con 17 colegios, instalados en poblaciones como La Bandera y 19.646 alumnos, logró resultados que se comparan favorablemente con los colegios particulares pagados en la Prueba de Evaluación del Rendimiento Escolar –PER–, que se hizo a todos los niños chilenos en 1982, 1983 y 1984.

Las Escuelas Galvarino, pertenecientes a Filomena Narváez, con 16 colegios y 17.638 alumnos, ocupan el segundo lugar. Más atrás se ubica el matrimonio formado por Hugo Hormazábal y Gladys Calderón, propietarios de la cadena educacional H. C. Libertadores, con 17 escuelas y liceos, donde estudian 11.673 alumnos. Le siguen Elías Hasbún, con 5 escuelas y 5.659 alumnos, y la Fundación San José, encabezada por Dagoberto Barrales, propietaria de 2 colegios con 985 alumnos.

Prekinders y buses de acercamiento

Las escuelas particulares subvencionadas, en una despiadada competencia por atraer alumnos –los que pueden elegir entre los establecimientos de su barrio, incluyendo las escuelas administradas por municipalidades, y cambiarse, si lo estiman conveniente–, se han visto obligadas a ofrecer cada vez mejores servicios, e incluso a llevar a cabo sus propias campañas de marketing. En la Avenida Principal, de la comuna de Conchalí, los transeúntes se sorprenden al observar un gran mural propagandístico de un colegio, en el que aparece un grupo de niños operando un computador. El saber que sus hijos dispondrán de microcomputadores en la escuela, constituye una razón por la cual los padres podrían preferir matricularlos en ese establecimiento. Se ha detectado en diversas poblaciones que en esta competencia también influye el nombre del establecimiento –los padres prefieren que sus hijos estudien en uno que se llame "colegio"– y el tipo de uniforme. En los tradicionales desfiles del 21 de mayo en las comunas, las escuelas compiten con gorros distintivos, uniformes especiales y bandas coloridas.

La competencia por captar alumnos ha hecho que los estudios comiencen antes: pese a que no existe subsidio estatal para el prekinder, muchas escuelas han creado dichos cursos para incorporar a los hermanos menores de sus alumnos, e ir formando así un mercado "cautivo". Han aparecido también los buses de acercamiento. Como la asistencia es la medida por la cual el Estado cancela el subsidio, las escuelas han organizado sistemas de buses que, tal como en los

140

colegios particulares del Barrio Alto, pasan a buscar a los niños en las mañanas y los van a dejar en las tardes. En las poblaciones de Santiago ya no constituye una sorpresa observar los minibuses amarillos con el clásico letrero de ''escolares''. La única diferencia, según Fernando Alvarez, alcalde de Conchalí, está en que los minibuses escolares del Barrio Alto son de marca Volkswagen, mientras que en las poblaciones de Conchalí los niños son pasados a buscar por los conocidos furgones Suzuki.

Los empresarios de la basura

Empresas como De Marco, Resiter, Starco, Aseo SEG y muchas otras, son quizás poco conocidas para la mayoría. Sin embargo, son las compañías pioneras de un nuevo negocio que en los últimos años se abrió al sector privado: la recolección de basura en las grandes ciudades. Junto a ésta, muchas otras actividades han comenzado a ser desarrolladas por empresas privadas que están reemplazando al gobierno en áreas como el barrido de calles, el aseo domiciliario, la mantención de parques y jardines, la administración de parquímetros y la mantención de semáforos.

El campo se abrió luego que las municipalidades, a partir de 1981, comenzaron a licitar dichos servicios, dando la oportunidad para que fueran efectuados por empresas privadas. En las conversaciones para poner en marcha esta ''revolución'', participaron compañías transnacionales dedicadas a la recolección de residuos sólidos en importantes ciudades del mundo. Sin embargo, jóvenes empresarios chilenos consiguieron adaptar tecnología moderna e intensiva en mano de obra que satisfizo a un menor costo los requerimientos municipales. Empresas privadas recogen hoy la basura de las ciudades más grandes del país, incluyendo Santiago, con modernas flotas de camiones y con una regularidad superior a la estatal.

Aseo Koppman, con una tecnología simple inventada en Chile –que incluye carritos ambulantes–, intensiva en el uso de mano de obra, efectúa el barrido del centro de Santiago.

Núcleo Paisajismo, Sur Andina, Sociedad Agrícola Belterra e Hidrosyn Limitada, lideran el mercado de la mantención de áreas verdes.

Resiter, perteneciente a dos jóvenes ingenieros industriales, aprovechando la experiencia adquirida, se presentó a la licitación para recolectar la basura de la ciudad de Córdoba, en Argentina.

Una microempresa formada por ex trabajadores del Programa de Empleo Mínimo y del Programa de Ocupación para Jefes de Hogar, llamada Emapaj, efectúa el servicio de mantención de parques y jardines en la comuna de Conchalí.

La acción de estas empresas privadas ha tenido importantes efectos, especialmente en las comunas más pobres. En 1981, debido a que no disponía de los recursos necesarios, la Municipalidad de Conchalí retiraba la basura en las poblaciones cada quince días, incurriendo en gastos de repuestos y combustibles para los diez camiones que poseía. Desde que el servicio fue licitado y la municipalidad remató sus camiones, Starco retira la basura tres veces por semana –como lo estipula el contrato–, realizando incluso una labor educativa, al introducir en la población de Conchalí el hábito de la utilización de bolsas plásticas para acumular los residuos sólidos.

10. Profesionalización del combate a la pobreza

Pese a que la realidad de la existencia de un grupo significativo de la población que no recibe los beneficios del progreso económico, constituye un hecho evidente, el mundo de la pobreza resulta, para muchos chilenos, un "gran desconocido". Sin embargo, las políticas para erradicar este flagelo también han sido transformadas por la "revolución silenciosa".

Como una verdadera constante histórica, la extrema pobreza se ha hecho siempre presente: en 1938 Chile ostentaba el triste récord de tener la tasa de mortalidad infantil más alta del mundo. Ésta fue reduciéndose sistemáticamente, pero en 1960, al morir en promedio 120 niños por cada mil nacidos vivos, seguía siendo la más alta de Latinoamérica. Actualmente es de 19 por cada mil. En 1966, la Organización Panamericana de la Salud declaró a Santiago como una de las ciudades más insalubres de la tierra, en tanto que en 1974 casi 80.000 familias vivían en los denominados "campamentos" que rodeaban a la capital, en condiciones de extrema insalubridad, ocupando terrenos en forma ilegal, sin alcantarillado y casi sin agua potable, en chozas y mediaguas. Otras 60.000 lo hacían en las llamadas "operaciones sitio", en que la única diferencia con el caso anterior la constituía la propiedad del terreno. Los campamentos terminaron de erradicarse en su totalidad. En 1970, según las cifras oficiales, el 20 por ciento de la población vivía en condiciones calificadas como de "extrema pobreza", entendiendo por tal situación a la carencia total del capital humano −nutrición, salud, educación, capacitación laboral− y del capital físico −infraestructura de vivienda, agua potable, alcantarillado, equipamiento del hogar− necesarios para salir de esa condición. La última cifra disponible, de 1982, señala que un 14 por ciento −1.500.000 chilenos− todavía se encuentra en igual situación.

El secreto del éxito de una política de erradicación de la pobreza consiste en conseguir un objetivo que parece obvio, pero que en la práctica no lo es tanto: que la ayuda social llegue realmente a los que más la necesitan. Este es el gran problema de las políticas sociales: evitar las "filtraciones", buscar fórmulas para impedir que los recursos destinados a ese objetivo terminen beneficiando a sectores a los cuales la ayuda les es menos necesaria. Si la meta es conseguir que los niños de las familias en extrema pobreza tomen leche, bajar artificialmente el precio de este producto −a través de un subsidio−, de tal forma que ésta sea más barata para el consumidor, constituye una política de grandes "filtraciones". La leche será más barata, pero será más barata para todos. La población entera, incluyendo sectores de extrema pobreza, pero también personas de ingresos medios y de ingresos altos, podrá comprar el producto a menor precio, lo que significa que parte de los recursos destinados a ayudar a los más pobres terminarán "filtrándose" en subsidiar a sectores que no son, ni mucho menos, los que más necesitan.

144

Lo mejor, por lo tanto, es llegar directamente a entregar la leche al "grupo objetivo".

Igual cosa sucede con muchas otras políticas. Si el gasto social en educación, por ejemplo, se destina mayoritariamente a las universidades, no serán los sectores de extrema pobreza los beneficiados, porque los hijos de esas familias –salvo esforzadas excepciones– no llegan a la universidad. Al contrario, lo que requieren son escuelas básicas, especialmente en las zonas apartadas. En 1970, la Educación General Básica y Prebásica, con 3 millones de alumnos, recibía el 33 por ciento del presupuesto total del Ministerio de Educación, en tanto que la Educación Superior, con 143 mil alumnos, percibía el 51 por ciento. Como resultado de lo anterior, el 41 por ciento de los niños en edad escolar en situación de extrema pobreza no asistía a la escuela. Ese porcentaje se ha reducido actualmente al 9 por ciento.

Si se cancela asignación familiar sólo a los que tienen un empleo, los hijos de los cesantes o de los trabajadores por cuenta propia –que conforman un porcentaje importante de los más pobres– no podrán recibirla. Hoy, el programa denominado Subsidio Unico Familiar remedia tal situación, cancelando una asignación de 600 pesos mensuales directamente a las madres de un millón de niños en extrema pobreza, con un gasto anual para el Estado de 7.400 millones de pesos.

La computación entra en la guerra

Para evitar las "filtraciones" del gasto social y llegar directamente a los más pobres con los beneficios, lo esencial es conocer quiénes son y dónde están. Los llamados "mapas de la extrema pobreza", confeccionados con cifras de los censos de 1970 y 1982, constituyen una ayuda significativa;

pero la verdadera "revolución" sólo se ha logrado ahora, con la llegada de los computadores a la municipalidad. A partir de 1980, grupos de encuestadores recorrieron cada una de las casas de los barrios pobres de Santiago y del resto del país, llenando una ficha –denominada "ficha CAS"– que considera variables objetivas susceptibles de ser medidas en el terreno respecto de la situación socioeconómica de la familia encuestada. Entre las variables están la situación de la vivienda, la disponibilidad de agua potable y alcantarillado y el equipamiento del hogar. La encuesta, actualizada año a año, se ha ido sofisticando cada vez más: la "ficha CAS 2" introduce fórmulas para medir mejor las diferencias entre la pobreza urbana y la rural. La "ficha CAS 1" consideraba pobres a todos los que cocinaban con leña, en circunstancias que en las zonas rurales el cocinar con leña no constituye un buen indicador del grado de pobreza. También considera las diferencias regionales en las condiciones de la vivienda: los requerimientos de abrigo en el invierno no son iguales en Iquique que en Puerto Montt.

El puntaje arrojado por la "ficha CAS" constituye actualmente el principal método para detectar quiénes son y dónde están los más pobres, transformándose en el mecanismo más importante de selección de los beneficiarios de los programas sociales.

Así, hoy cada familia pobre está individualizada y, más aún, sus antecedentes están en el computador de que dispone la municipalidad de la comuna donde reside. En las municipalidades de Pudahuel, Conchalí, San Miguel y muchas otras, es posible pedir al computador los antecedentes de la familia Pérez, que vive en tal o cual población, o de la familia Soto, e inmediatamente aparecerán en pantalla los antecedentes acerca de la situación del grupo familiar: el número de hijos, las condiciones de la vivienda, si dispone de alcantarillado o sólo tiene pozo séptico, cuál es su puntaje de pobreza según la "ficha CAS", si sus hijos están recibiendo o no desayunos o almuerzos en la escuela, si se les paga asignación familiar, si están o no postulando al subsidio habitacional. Toda esta información que antes no existía, o que en el mejor de los casos obligaba al manejo de decenas de miles de tarjetas, hoy se hace presente al apretar una tecla. La computación, al precisar el diagnóstico individualizando a los pobres, ha hecho imposible desconocer la realidad de la pobreza, transformándose en una ayuda decisiva en la lucha por erradicarla.

Los empresarios de las raciones escolares

Y en los últimos años, la empresa privada también juega un rol importante en este combate. Con un gasto de 7.000 millones de pesos en el año, la Junta Nacional de Auxilio Escolar y Becas, JUNAEB, reparte diariamente 643.000 desayunos y 531.000 almuerzos en las escuelas, a los niños en extrema pobreza de entre 6 y 14 años, medida que tiene por objeto, entre otros, reducir la deserción y el ausentismo escolar. Las raciones alimenticias son fabricadas por empresas privadas, las que deben repartirlas en las escuelas y contratar manipuladoras para que las sirvan.

Entre los líderes de este mercado están el Consorcio Nieto, la Compañía de Productos Alimenticios y Servicios, Córpora, Elak Alimentos y Conservera Pentzke, empresas que deben hacer sus mejores esfuerzos para llegar con las raciones a localidades tan remotas como Cancosa, en la Primera Región –donde el Consorcio Nieto lleva, a lomo de mula, doce almuerzos y doce desayunos diarios–, o a Chi-

147

chintahue, cerca de Santa Bárbara –donde Córpora lleva todas las raciones en enormes tarros de conserva en sólo tres viajes al año–. Las escuelas de Puelo Alto y Paso del León, en los alrededores de Cochamó, o la de Puerto Melinka, en la comuna de Huaitecas, son abastecidas mediante lancha o avión por parte de las empresas concesionarias.

En la comuna de San Miguel, en Santiago, en Cancosa o en Puerto Melinka, los niños reciben en una bandeja similar a la que se entrega a los pasajeros de un avión, una ensalada, un guiso caliente, un jugo y un postre.

Córpora, Consorcio Nieto, Conservera Osiris y Distal, son las empresas líderes en otro programa: el reparto de alimentos a las embarazadas y a los niños de entre cero y seis años en los consultorios de salud.

Construyendo para los más pobres

Empresarios como Guillermo Pérez Rivera, Juan Clemente Fernández y Samuel Montes Elizondo, y empresas como Transec Limitada y Constructora Litco, tienen una característica en común: partieron como empresas pequeñas, pero han crecido al especializarse en la construcción de casetas sanitarias y de lotes con servicios para los más pobres. Un crédito del Banco Interamericano de Desarrollo aseguró el financiamiento de un programa que se inició tímidamente, pero que permitió erradicar los "campamentos" gracias a que se produjo una creativa respuesta de parte de la empresa privada. Esta redujo costos y actualmente es capaz de construir un "lote con servicios" –que incluye baño, cocina y lavadero– por menos de 100 unidades de fomento. En torno a ese núcleo básico, que comprende un sitio de 100 metros cuadrados, las familias pobres continúan el milagro: al sentirse en lo propio, en pocos meses comienzan a transformar el "lote", agregándole piezas, rejas y diversas mejoras que llegan incluso a superar el monto invertido por el Estado.

Hogar de Cristo

En la lucha contra la pobreza, el Estado no combate solo. A la batalla se suma la acción de diversas instituciones de beneficencia, manejadas hoy con estricto criterio profesional. El Hogar de Cristo –que también utiliza las "fichas CAS" como mecanismo de selección de sus beneficiarios– otorga atención a 1.500.000 personas al año en el Gran Santiago y en sus dieciocho filiales a lo largo del país, entregando 1.000.000 de almuerzos en el mismo período.

En sus hospederías, hogares de niños, centros abiertos y policlínicos, atiende, según sus principios, a los más desamparados de los desamparados. Entre sus aportes más novedosos están la creación de policlínicos dentales, únicos en su tipo en Latinoamérica para la atención de la extrema pobreza, y las farmacias populares –hay dos en funcionamiento: en Chorrillos y en La Pintana–, donde los remedios son vendidos a la mitad de su valor real. Y entre los programas pioneros, que pueden llegar a traducirse en un futuro en la administración privada de las cárceles, está el de centros abiertos para "jóvenes en riesgo social", en que, mediante un convenio entre los Tribunales de Justicia y el Hogar de Cristo, doscientos jóvenes fueron sacados de la cárcel para seguir un programa de rehabilitación bajo la responsabilidad de esta última entidad.

11. La sociedad de las opciones.

¿Prefiere música clásica, rock latino, rock pesado, música orquestal, folclórica o de otra clase? Un recorrido por el dial de 20 radios AM y 23 radios FM en Santiago dará con cualquiera de ellas. ¿Le gusta el yogurt?, ¿natural o con sabor?, ¿chocolate, piña, frutilla, frambuesa?, ¿con frutas o sin frutas?, ¿Soprole, Yely o Dannon? Son ejemplos que indican que la sociedad en que nuestra capacidad de decisión se limitaba a elegir entre la leche Soprole en botellas verdes de tapa roja o de tapa blanca, ha quedado definitivamente atrás.

La transformación de la sociedad de "éste o el otro" en una de "opciones múltiples", es un fenómeno mundial del que Chile, integrado a éste, no se encuentra ausente. Según señala John Naisbitt, en su libro ya citado *Megatrends*. hasta hace poco tiempo en Estados Unidos todos las tinas de baño eran blancas y los teléfonos negros. La gente compraba un Ford o un Chevrolet, pedía helados de chocolate o de vainilla, la mujer se quedaba en la casa y el marido iba a la oficina de nueve de la mañana a cinco de la tarde. A veces, las menos, existía una tercera opción: helados de frutilla, las cadenas de televisión ABC, CBS o NBC. Y eso era todo...

Pero la sociedad de masas, con su uniformidad y sus grandes producciones a escala, igual para todos, llegó a su fin, dando paso a la diversidad, la especialización, los gustos distintos, las opciones múltiples: en Chile las tinas de baño son blancas, o celestes, o de cualquier color. Los teléfonos tienen cientos de formas diferentes –que el propio usuario puede elegir–, los compradores de autos deciden entre decenas de marcas distintas. La mujer trabaja o estudia. Optamos entre el canal 13, o el 7, o el 11, o el 5, o el 9. Nos movilizamos en automóvil, micro, bus, minibus, metro, metro-bus, taxi o taxi colectivo. Vivimos en una sociedad en que las empresas exitosas buscan "segmentar" el mercado, para llegar a satisfacer los gustos de grupos cada vez más especializados de consumidores: publicidad dirigida a los niños, a los jóvenes, a los adultos y a los ancianos. A los que les gusta el fútbol, el tenis, el ski, o el rodeo. Los que prefieren la comida chilena, francesa, italiana, o china. Los que quieren ir al supermercado a hacer sus compras o prefieren llamar por teléfono para que alguien se las lleve a la casa.

Sociedad "desuniformada"

Vivimos en una sociedad "desuniformada", en que la atención personalizada reemplaza a la estandarización, y los "trajes a la medida" desplazan a la producción masiva. Una dueña de casa que entraba a comprar al Almac en 1974, podía elegir entre 5.500 productos diferentes. Hoy –como ya se dijo– su gama de alternativas se ha multiplicado por tres, alcanzando a 15.500 ítems distintos, considerando marcas, tamaños, calidades y envases diferentes. Hay una nueva generación de niños acostumbrados a optar, que ven la publicidad y toman sus propias pequeñas decisiones de compra sobre marcas de helados o de yogurt.

Los chilenos ya no tienen que confiar sus cuidados médicos obligatoriamente al Servicio Nacional de Salud o al Sermena, sino que pueden elegir entre más de veinte alternativas, incluyendo el Fonasa y las Isapres. Más aún, la sociedad del "traje a la medida" se traduce en que los Institutos de Salud Previsional ofrecen múltiples planes distintos.

Sólo en Banmédica hay 250 planes diferentes, adecuados a las necesidades y requerimientos más diversos. Una familia numerosa preferirá un plan que bonifique con un porcentaje mayor la consulta médica y con uno menor la hospitalización. Hay planes especiales para médicos, los cuales, debido a que no se cobran entre ellos, no reembolsan nada por la consulta y bonifican, en cambio, significativamente la hospitalización. Cualquier gerente de personal de una empresa grande sabe que puede pedir las características que quiera en el contrato de salud que negocie con la Isapre para sus empleados.

Cerca de 450.000 personas aún esperan jubilar en la Caja de Empleados Públicos, el Servicio de Seguro Social o la Caja de Empleados Particulares. En cambio, alrededor de 3 millones de chilenos optaron por confiar sus ahorros previsionales a alguna de las más de diez Administradoras de Fondos de Pensiones existentes hoy. Actualmente es posible elegir entre jubilar a los 65 años de edad, o antes utilizando los fondos depositados en la cuenta individual. En el momento de jubilar, el trabajador también decidirá si opta por un esquema de retiro programado o por uno de pensión vitalicia. La acumulación de dinero en las cuentas previsionales, con su correspondiente ganancia de intereses, transformará en pocos años más a los fondos depositados en las AFP, en la principal riqueza de propiedad de un trabajador, sobrepasando –en la mayoría de los casos– el valor de todas sus otras pertenencias. Un estudiante que termina su Educación Media, ya no está forzado a elegir –como dijimos– entre la Universidad Católica, la de Chile o la de Santiago. Sus opciones incluyen varias universidades privadas y numerosos institutos profesionales y centros de formación técnica creados en los últimos años.

Aunque las alternativas de canales de televisión se han ampliado a cinco en Santiago, un número creciente de familias está confeccionando su propia programación, prefiriendo ver alguna de las 700 películas distintas que actualmente se arriendan en los clubes de video existentes en el país. Además, tal como en las grandes ciudades del mundo, a través de una conexión individual, las familias pueden acceder a la televisión por cable, que ya es una realidad en Chile. La empresa Intercom, vinculada a El Mercurio, maneja cuatro canales en Santiago: dos de ellos están destinados a películas y documentales que aportan cultura y entretención, otro entrega ininterrumpidamente noticias durante toda la tarde y parte de la noche –"Cablenoticias"–, en tanto que un cuarto transmite exclusivamente avisos económicos, especialmente de arriendo y ventas de casas y departamentos.

Los nuevos liderazgos

Chile es hoy un país líder. A quienes en diversas ocasiones han señalado que debemos recuperar el liderazgo entre los países latinoamericanos, habría que decirles que Chile ya lo recuperó, y con creces. En los capítulos anteriores, la palabra "liderazgo", aplicada a una empresa o una actividad desarrollada por chilenos, ha sido ocupada en múltiples oca-

154

siones. Lo que ocurre es que las transformaciones que han tenido lugar en nuestro país en los últimos años son tan profundas, que hoy somos líderes en áreas en las que nunca antes habíamos figurado encabezando los *rankings* latinoamericanos o, incluso, mundiales.

Nos acostumbramos a un país líder en la producción de cobre, pero no conocíamos a un Chile primero en el mercado mundial de la uva, o primero en cuanto a superficie plantada de pino radiata. Sabíamos que Codelco era una gran empresa que se codeaba a nivel mundial con los otros gigantes del mercado, pero no lográbamos dimensionar a David del Curto como la frutera más grande del hemisferio sur, o a Sonda como la mayor multinacional de la computación en Latinoamérica.

Menos aún sabíamos de los "liderazgos tecnológicos", como es el caso de un país que posee uno de los frigoríficos de atmósfera controlada más grandes del mundo, el segundo mayor tráfico de computadoras con Estados Unidos, entre los países latinoamericanos, y la red de télex más moderna de la región. Sin duda, también serán una sorpresa los "liderazgos de capital humano": Chile encabeza el *ranking* latinoamericano como el país con la mayor cantidad de microcomputadores en las escuelas, y cuenta con una elevada proporción de profesionales con estudios de postgrado en las mejores universidades norteamericanas y europeas.

La revolución silenciosa: nuevos liderazgos para un país que cambia inserto en un mundo que avanza más rápido que nunca antes en su historia, con una nueva generación de chilenos que asume el rol protagónico.